Journal d'une Princesse 4

Une Princesse dans son palais

4

Meg Cabot

Journal d'une Princesse 4

Une Princesse dans son palais

Traduit de l'anglais (américain)
par Josette Chicheportiche
Illustrations de Chesley Mc Laren
A collaboré à cet ouvrage : Véronique Fleurquin
pour la traduction des extraits

HACHETTE
Jeunesse

Si j'étais une princesse, mais une vraie princesse, murmura-t-elle, je pourrais répandre des largesses sur tout le monde. Mais si je fais semblant d'être princesse, je peux trouver des petits plaisirs à faire aux gens. Je ferai semblant de faire des choses qui plaisent aux gens, c'est la même chose que répandre des largesses.

Petite Princesse, Frances Hodgson Burnett.

Jeudi 1ᵉʳ janvier, minuit
Dans mes appartements privés du palais de Genovia

Mes résolutions pour la nouvelle année
par la princesse
Amelia Mignonette Thermopolis Renaldo
âgée de 14 ans et 8 mois

1. Cesser de me ronger les ongles, même les faux.

2. Cesser de mentir. De toute façon, à quoi bon ? puisque chaque fois que je raconte des craques, Grand-Mère le voit à cause de mes narines qui palpitent.

3. Suivre à la lettre les discours qu'on m'a écrits pour mes allocutions télévisées.

4. Ne plus dire de gros mots en français devant les dames d'honneur.

5. Demander à François, mon garde du corps ici à Genovia, de ne plus m'en apprendre (de gros mots).

6. Présenter mes excuses à l'Association des producteurs d'huile d'olive de Genovia pour mon stupide jeu de mots.

7. Présenter mes excuses au chef pour avoir donné ma tranche de foie gras au chien de Grand-Mère (pourtant, je l'ai dit, aux cuisines, que je ne mangeais pas de viande).

8. Cesser de faire la morale au service de presse du palais sur les dangers du tabac. S'ils veulent mourir du cancer, ça les regarde.

9. M'autoréaliser.

10. Arrêter de penser autant à Michael Moscovitz.

Une minute. Pourquoi je ne penserais pas à Michael Moscovitz, puisque C'EST MON PETIT AMI MAINTENANT !!!!!!!

$$Mt + mm = Amour\ pour\ toujours$$

Vendredi 2 janvier, 2 heures de l'après-midi
Au Parlement de Genovia

Quand je pense que je suis censée être en vacances ! Je ne plaisante pas. En vacances pour les fêtes de Noël. Je devrais donc m'amuser en ce moment, me recharger mentalement avant le prochain trimestre, qui risque de ne pas être de tout repos puisqu'il sera déterminant pour le passage en première. Avant mon départ, tout le monde me disait : « Tu en as de la chance ! Tu vas passer Noël dans un vrai palais avec des serviteurs qui seront aux petits soins pour toi. »

Je peux vous dire que ça n'a rien d'agréable de vivre dans un palais. Vous voulez savoir pourquoi ? Parce que tout, dans un palais, est vieux. Je ne suis pas en train de raconter que le palais de Genovia a été construit au IVe siècle après Jésus-Christ, quand mon ancêtre, la princesse Rosagunde, est montée sur le trône. Mais il doit bien dater de 1600, et en 1600, on ne connaissait :

1. ni le câble ;
2. ni l'ADSL[1] ;
3. ni le tout-à-l'égout.

Il y a bien une antenne parabolique, mais comme c'est le palais de mon père, les seules chaînes programmées sont CNN, CNN Financial News et une chaîne qui ne diffuse que du golf. Et MTV2, alors ? Et Ciné-Romance ?

Cela dit, je ne vois pas très bien à quoi ça me servirait puisque je n'ai pas une minute à moi. Quand est-ce que je pourrais m'asseoir devant le poste, attraper

---

1. Accès à l'Internet haut-débit.

la télécommande et regarder un bon film romantique, hein?

Quant aux toilettes, ça se voit qu'en 1 600 le tout-à-l'égout n'existait pas. Parce que quatre cents ans après, si on utilise un peu trop de papier et qu'on tire ensuite la chasse d'eau, on provoque un mini raz de marée dans la cuvette des W.-C.

Dire que tous mes amis sont en train de skier à Aspen[1] ou de bronzer à Miami!

Et moi, qu'est-ce que je fais pendant mes vacances?

Grâce à l'agenda que Grand-Mère m'a offert à Noël (vous en connaissez beaucoup, vous, des filles qui aimeraient recevoir un agenda à Noël?), je vais pouvoir reprendre dans mon journal les moments les plus marquants de mon séjour ici.

D'après l'agenda royal de la princesse
Amelia Mignonette Thermopolis Renaldo

Dimanche 21 décembre

Arrivée à Genovia. À cause de tous les bretzels que j'ai mangés pendant le voyage (presque un paquet

---

1. Station de ski très chic du Colorado.

entier de deux kilos), j'ai failli vomir devant le comité d'accueil qui m'attendait à la descente de l'avion.

Cela fait un jour que je n'ai pas vu Michael. J'ai essayé de l'appeler chez ses grands-parents, à Boca Raton, où les Moscovitz passent les vacances de Noël, mais personne n'a répondu. Ce doit être à cause du décalage horaire. Il y a six heures de différence entre Genovia et la Floride.

Lundi 22 décembre

Alors que je visitais le croiseur *Prince Philippe*, j'ai trébuché sur l'ancre et j'ai fait tomber l'amiral Pépin dans le port de Genovia. Il en est heureusement sorti indemne, bien qu'on ait dû le repêcher avec un harpon.

J'aimerais bien savoir pourquoi je suis la seule dans ce pays à penser que la pollution est un sujet grave. Si les touristes qui arrivent à Genovia par la mer ont l'intention de mettre à quai leurs yachts, ils pourraient faire attention à ce qu'ils jettent par-dessus bord. On voit continuellement des marsouins le museau coincé dans les emballages en plastique des packs de bière. Résultat, comme ils ne peuvent plus ouvrir la gueule, ils finissent par mourir de faim. À défaut d'éviter de jeter ces emballages à la mer, il suffirait de donner quelques coups de ciseaux dans le plastique avant de le jeter pour que ça n'arrive pas.

Bien sûr, d'autres choses néfastes arriveraient… le véritable problème, c'est qu'on n'est pas censé au départ se servir de la mer comme d'un dépotoir.

En tout cas, je ne peux pas rester les bras croisés pendant que des créatures marines sans défense sont maltraitées par des accros du bain de soleil à la recherche du bronzage parfait.

Deux jours que je n'ai pas vu Michael. J'ai essayé de l'appeler à deux reprises. La première fois, personne n'a répondu. La deuxième, Mrs. Moscovitz (la grand-mère de Michael) a décroché. Elle m'a dit que Michael venait de partir à la pharmacie pour aller chercher la lotion pour les pieds que le médecin avait prescrite à son mari. C'est Michael tout craché : penser aux autres avant de penser à lui !

Mardi 23 décembre

Au petit déjeuner avec l'Association des producteurs d'huile d'olive de Genovia, quand j'ai dit qu'avec la sécheresse qui sévissait autour de la Méditerranée, ça ne devait pas baigner dans l'huile pour eux, personne n'a ri.

Trois jours que je n'ai pas vu Michael. Je n'ai pas eu le temps de l'appeler à cause de la polémique qu'a provoquée mon jeu de mots.

Mercredi 24 décembre

Je suis de nouveau passée à la télé pour présenter mes vœux de Noël au peuple de Genovia. Je crois que je me suis un peu égarée par rapport au discours initial quand j'ai parlé des gains que rapportaient les horodateurs de cinq districts new-yorkais et que j'ai expliqué que l'installation de parcmètres à Genovia contribuerait de façon positive à l'économie nationale et permettrait parallèlement de décourager les touristes qui viennent pour la journée en voiture. Je ne comprends toujours pas pourquoi Grand-Mère était si en colère. Les parcmètres à New York ne font PAS tache dans le paysage urbain. La plupart du temps, je ne les remarque même pas.

Quatre jours QJNPVM (que je n'ai pas vu Michael).

Jeudi 25 décembre

J'AI ENFIN RÉUSSI À PARLER À MICHAEL!!!!!

Bon d'accord, notre conversation manquait un peu de naturel. Il faut dire que mon père, ma grand-mère et mon cousin René se trouvaient dans la même pièce que moi et que les parents de Michael, ses grands-parents et sa sœur se trouvaient, eux, dans la même pièce que lui.

Il m'a demandé si j'avais été gâtée pour Noël. Je lui ai répondu que non, pas vraiment, dans la mesure où j'avais eu un agenda et un sceptre alors que je rêvais d'un téléphone portable. Je lui ai demandé, à mon tour, s'il avait été gâté pour Hanoukka[1]. Il m'a répondu pas vraiment non plus, puisqu'il n'a reçu qu'une imprimante couleur. Ce qui est mieux que mes cadeaux, si vous voulez mon avis. Cela dit, le sceptre, c'est assez pratique pour repousser les cuticules des ongles.

Je suis tellement soulagée que Michael ne m'ait pas oubliée. Je sais bien qu'il n'a rien à voir avec les autres spécimens de son espèce – les garçons, je veux dire. Mais ce n'est un secret pour personne que les garçons sont comme les chiens : leur mémoire à court terme est inexistante. Vous leur dites que votre personnage de fiction préféré, c'est Xena Princesse guerrière et une heure après, ils se mettent à raconter que votre personnage de fiction préféré, c'est Xica, de Telemundo. Les garçons ne savent pas ce qu'ils font parce que leur cerveau est trop rempli d'infos sur les modems, *Star Trek Voyager,* le groupe Limp Bizkit, etc.

Michael ne fait pas exception à la règle. Oh, bien sûr, il est premier de sa classe *ex aequo,* il a toujours eu d'excellents résultats scolaires et il a été accepté sur

---

1. Fête juive célébrée aussi en décembre.

dossier dans l'une des plus prestigieuses universités du pays. Mais ça lui a quand même pris cinq millions d'années pour se rendre compte que je lui plaisais. Et seulement quand je lui ai envoyé des lettres d'amour anonymes. Qui se sont révélées n'être pas si anonymes que cela puisque tous mes amis, y compris sa petite sœur, ne savent pas tenir leur langue.

Mais bon, c'est du passé. Ce que je veux dire, c'est que cinq jours sans entendre la voix de l'amour de sa vie, c'est long. Tina Hakim Baba m'a raconté que lorsque Dave El-Farouq, son petit ami, ne lui téléphonait pas pendant aussi longtemps, elle ne pouvait pas s'empêcher de penser qu'il avait rencontré une autre fille mieux qu'elle. Elle lui en a parlé une fois. Elle lui a dit qu'elle l'aimait et ne supportait pas qu'il ne l'appelle pas. Dave a réagi en ne l'appelant plus du tout, vu qu'il s'était découvert une phobie du téléphone.

Michael n'aurait aucun mal à rencontrer une fille mieux que moi. Il y en a bien des milliards qui ont plus d'atouts et ne passent pas leurs vacances coincées dans un palais avec une grand-mère totalement cinglée et son espèce de monstre à quatre pattes et sans poils qu'elle appelle un caniche nain.

Tout ça pour dire que je commence à comprendre ce que ressent Tina quand elle nous raconte que Dave ne va pas tarder à la quitter et qu'on lui assure que non.

J'ai parlé à maman et à Mr. Gianini. Ils ont l'air d'aller bien. Maman interdit toujours au médecin de lui révéler le sexe du bébé. Elle ne veut pas savoir parce que, si c'est un garçon, elle refusera de pousser pour ne pas imposer au monde un nouvel oppresseur porteur du chromosome y (d'après Mr. G., c'est à cause des hormones qu'elle tient un discours pareil. Je n'en suis pas si sûre. Ma mère peut être très anti-chromosome y quand elle veut). Ils ont approché Fat Louie du combiné pour que je puisse lui souhaiter un joyeux Noël. Il a miaulé avec agacement. J'en conclus qu'il va bien.

5 jours QJNPVM.

Vendredi 26 décembre

J'ai dû suivre le tournoi de golf organisé au profit d'une œuvre de bienfaisance auquel participaient mon père et mon cousin René. Ils jouaient contre Tiger Woods. Tiger a gagné (ce qui n'est pas éton-nant). Papa approche quand même de la cinquantai-ne et le prince René a avoué être allé à une dégusta-tion de *grappa*[1] hier soir. À mon avis, il n'y a que le polo qui puisse être plus mortel que le golf. Dire que je vais devoir assister à leur prochain tournoi !

---

1. Liqueur italienne.

En parlant de mon cousin René, ce n'est pas du tout mon cousin. Ou alors au millième degré. Et même s'il est prince, la loi italienne lui interdit de revenir dans son pays natal depuis que la République a mis à la porte tous les membres de la famille royale. Le palais des ancêtres de ce pauvre René appartient aujourd'hui à un célèbre chausseur qui l'a transformé en hôtel pour riches Américains qui viennent y passer le week-end et y apprendre à préparer les pâtes avec du vinaigre balsamique vieux de deux cents ans !

Cela dit, René ne semble pas très affecté par ce qui est arrivé à sa famille puisque ici, à Genovia, tout le monde l'appelle Votre Altesse prince René, et qu'il bénéficie de tous les privilèges accordés aux membres de la famille royale.

Mais ce n'est pas parce que René a quatre ans de plus que moi et est en première année d'une école de commerce qu'il a le droit de me traiter avec condescendance. Personnellement, je pense que le jeu est néfaste, et je ne comprends pas que le prince René passe autant d'heures à jouer à la roulette au lieu d'utiliser son temps de façon plus productive.

Alors, oui, c'est vrai, je le lui ai dit. Il me semblait que le prince René avait besoin de se rendre compte que la vie, ce n'est pas seulement conduire une Alfa Romeo ou nager dans la piscine couverte du palais vêtu d'un minuscule slip noir comme c'est la mode sur la Côte d'Azur.

Vous savez quoi? Il m'a ri au nez.

Mais bon. J'ai fait ce que je pouvais pour montrer à un prince complètement égocentrique qu'il avait tort de mener une vie de bâton de chaise.

6 jours QJNPVM.

Samedi 27 décembre

J'ai passé une journée déprimante. C'était le vingt-cinquième anniversaire de la mort de Grand-Père. Inutile de préciser que je ne l'ai pas connu… J'ai dû déposer une couronne de fleurs sur sa tombe, porter un voile noir, etc. Comme le voile collait à mon brillant à lèvres et que je n'arrivais pas à l'écarter même en soufflant dessus, j'ai fini par le retirer. Résultat, mon chapeau s'est envolé et a atterri dans le port de Genovia. Le prince René l'a repêché avec l'aide de sympathiques jeunes femmes qui bronzaient à la terrasse d'un café non loin de là. Sauf que mon chapeau ne sera plus jamais le même.

7 jours QJNPVM.

Dimanche 28 décembre

Mon père a surpris le prince René dans la piscine du palais en compagnie de «petites amies», plutôt délurées. Il lui a dit qu'à dix-huit ans, il devrait prendre un peu plus conscience de son statut de « prince William du Continent ». Mais sans les joyaux de la couronne, puisque la famille de René n'a que le titre et non la fortune. Papa a également essayé de lui faire comprendre que ces filles se servaient de lui. René a rétorqué que ça ne le gênait pas qu'on se serve de lui de cette manière, et qu'il ne voyait pas où était le problème. Papa s'est mis encore plus en colère. J'aurais dû prévenir René de ne pas contredire mon père quand la veine de son front commence à ressortir, mais je n'ai pas eu le temps.

J'ai essayé d'appeler Michael. La ligne était tout le temps occupée. Il devait sans doute être connecté à Internet. Je lui aurais bien envoyé un mail mais la porte de la salle du palais où se trouvent les ordinateurs avec accès à Internet (dans les bureaux du gouvernement) était fermée à clé.

8 jours QJNPVM.

Lundi 29 décembre

J'ai rencontré le directeur du casino de Genovia. Quand j'ai vu comment il insistait pour maintenir un voiturier à la disposition de ses clients, ça m'a découragée. J'ai pourtant essayé de lui expliquer qu'il augmenterait ses revenus s'il installait des parcmètres, mais il m'a carrément rembarrée.

J'ai demandé à papa une clé des bureaux du gouvernement pour pouvoir envoyer des mails à Michael quand je veux, mais il m'a rembarrée lui aussi, sous prétexte que René y a été surpris la semaine dernière en train de photocopier les photos de ses «petites amies» dans la piscine. J'ai assuré à mon père que jamais je ne ferais ce genre de chose et que je n'avais rien à voir avec un prince sans toit qui porte des slips de bain ridiculement petits, mais apparemment mes arguments sont tombés dans l'oreille d'un sourd.

Neuf jours que je n'ai pas vu Michael. Je suis en train de devenir FOLLE!!!!!!!!!!!!!!!

Mardi 30 décembre

J'AI REÇU UN MESSAGE DE MICHAEL *via* la standardiste du palais. Voilà ce qu'il me dit : *Tu me manques. J'essaierai de t'appeler à bonne nuit.* J'ai demandé à la standardiste si elle était sûre que Michael avait bien dit ça, et elle m'a assuré que oui. Le problème, c'est que ce message n'a aucun sens. Me rappeler «à bonne nuit»? À moins qu'un mot dans la langue Klingon[1] ne sonne comme *bonne nuit*. Je n'ai pas eu le temps

---

1. Langue extraterrestre dans *Star Trek*.

de le rappeler : j'ai été prise toute la journée par le ministre de la Défense qui m'a expliqué ce qu'il faudrait faire en cas d'incursion militaire sur notre territoire – peu probable – menée par des forces ennemies.

10 jours QJNPVM.

Mercredi 31 décembre

J'ai posé pour mon portrait. Je ne devais ni bouger ni sourire. Ce qui n'était pas évident car Rommel, le chien de Grand-Mère, allait et venait dans l'atelier avec une espèce de cône en plastique autour de la tête pour l'empêcher de lécher le peu de poils qu'il lui reste. Je tiens à préciser que Rommel est le seul chien à ma connaissance qui soit atteint d'un trouble obsessionnel-compulsif (*dixit* le vétérinaire royal de Genovia), lequel trouble le pousse à se lécher jusqu'à la dépilation. D'après les vétos américains que Grand-Mère a consultés, c'est tout simplement une allergie qui est responsable de sa chute de poils.

Je ne suis pas du genre à me moquer de la souffrance d'une créature à quatre pattes, mais je dois dire que Rommel était assez drôle. Comme il avait perdu sa vision périphérique (à cause du cône), il n'arrêtait pas de se cogner dans les armures.

Le peintre royal dit qu'il désespère de finir un jour mon portrait. Aujourd'hui, il a dû me lâcher plus tôt pour que je puisse assister au réveillon organisé au palais. Je n'avais pas trop le moral à minuit quand tout le monde s'est embrassé et que Michael n'était pas là. J'ai essayé de l'appeler mais il n'y avait personne. À tous les coups, les Moscovitz sont allés à une fête sur la plage ou au bord d'une piscine.

Vous savez ce que c'est la grande mode en Floride ? Organiser des fêtes sur la plage ou au bord d'une piscine. Et vous savez qui va à ces fêtes ? Des filles en bikini. Comme les filles qu'on voit dans *Blue Crush*. Comme Kate Bosworth qui a un œil bleu et l'autre marron, et qui porte des shorts minuscules. Oui, celle-là. Comment voulez-vous que quiconque rivalise avec une surfeuse qui a un œil bleu et un œil marron ? J'aimerais bien le savoir !!!

René a essayé de m'embrasser à minuit mais je lui ai dit d'aller embrasser Grand-Mère à la place. Il avait tellement bu de champagne qu'il l'a fait ! Grand-Mère l'a frappé avec un morceau d'ananas taillé en forme de cygne.

11 jours QJNPVM.

Jeudi 1ᵉʳ janvier

J'AI REÇU UN MAIL DE MICHAEL !!!!!!!! René a volé les clés des bureaux du gouvernement parce qu'il avait soi-disant quelque chose à « vérifier sur le Net » (la vérité, c'est qu'il voulait faire le test : « Êtes-vous sexy ou pas ?») Bref, je passais dans le couloir pour aller à la piscine couverte, quand je l'ai vu. Je lui ai aussitôt demandé de me laisser entrer. René avait encore tellement la gueule de bois à cause de tout le champagne qu'il a bu hier soir qu'il n'a même pas cherché à se défendre.

Je me suis connectée immédiatement et j'ai vu que j'avais reçu un mail de Michael !!!

Il s'avère qu'il n'a PAS réveillonné avec des filles genre Kate Bosworth.

Voilà ce qu'il m'a écrit :

Mia,

Je suis désolé de t'avoir manquée quand tu as appelé. J'étais à la soirée de la maison de retraite de mes grands-parents (ils ont passé Ricky Martin toute la nuit en s'imaginant que c'était à la mode). Tu n'as pas reçu mon message ? Tant pis. En tout cas, je te souhaite une super bonne année. Tu me manques terriblement, etc., etc.

P.S. : Est-ce qu'on t'enferme dans une tour là-bas ou quoi ? N'oublie pas que même les prisonniers ont droit à certains privilèges. Vais-je devoir aller à Genovia et grimper à tes cheveux pour te voir ?

Avez-vous déjà lu quelque chose de plus romantique ? Il dit que je lui manque terriblement, *etc., etc.*

Et vous savez ce que ça veut dire : *Etc., etc.* ? Qu'il m'aime. Ce n'est pas ce que *etc., etc.* signifie ?

J'ai bêtement demandé à René ce qu'il en pensait. D'après lui, un homme qui n'écrit pas noir sur blanc ce qu'il ressent pour une femme n'est pas un vrai homme.

Je lui ai rétorqué que ce n'était pas une vraie lettre, mais un e-mail. Ce qui fait une différence.

N'est-ce pas ?

J'ai passé la journée auprès des malades de l'Hôpital général de Genovia. C'était très déprimant. Non pas à cause des malades mais du clown que l'hôpital a engagé pour remonter le moral des enfants hospitalisés. JE DÉTESTE LES CLOWNS ! J'en ai très peur depuis que j'ai lu *Ça*, de Stephen King. Je trouve scandaleux que des écrivains prennent des personnages tout à fait innocents comme les clowns pour les transformer en créatures du diable ! Résultat, tout le temps où j'étais à l'hôpital, j'ai évité le clown de peur que ce soit un suppôt de Satan.

12 jours QJNPVM.

Vendredi 2 janvier

Et voilà. Nous sommes le 2 janvier et j'assiste en ce moment à une session parlementaire où je fais semblant d'écouter de vieux bonshommes coiffés d'une perruque qui parlent de stationnement depuis des heures.

Cela dit, je ne peux m'en prendre qu'à moi-même. Si je n'avais pas soulevé cette histoire de parcmètres, rien de tout cela ne serait arrivé.

Mais comment n'ont-ils pas pensé plus tôt que ne pas faire payer le stationnement, c'était encourager les touristes à venir en voiture au lieu de prendre le train, ce qui provoque des embouteillages monstrueux dans les rues déjà très encombrées de Genovia, et n'est pas pour soulager notre infrastructure plus que chancelante !

Je suppose que je devrais être flattée qu'ils prennent avec autant de sérieux n'importe laquelle de mes suggestions. D'accord, je suis la princesse de Genovia, mais qu'est-ce que j'y connais ? Ce n'est pas parce que je suis de sang royal et que je suis en seconde au lycée Albert-Einstein dans une classe d'élèves surdoués que je suis douée moi-même. En fait, c'est l'inverse. Je ne suis pas douée du tout, je suis juste moyenne dans à peu près tout, à l'exception de la pointure de mes chaussures où là, je dépasse tout le monde haut la main. Je n'ai aucun talent non plus. Pour tout dire, je me suis retrouvée dans cette classe parce que j'étais nulle en maths et que les profs ont décidé que je pourrais profiter de l'heure durant laquelle les autres élèves travaillent sur leurs projets personnels pour rattraper mon retard.

Bref, quand on y réfléchit, c'est très gentil de la part des membres du Parlement de Genovia de prendre en compte *tout* ce que je dis.

Mais je ne peux pas non plus leur être complètement reconnaissante dans la mesure où chaque instant que je passe ici est un instant loin de l'amour de ma vie. Ça fait quand même treize jours et dix-huit heures que je n'ai pas vu Michael. Ce qui équivaut à presque deux semaines. Et pendant tout ce temps, je ne lui ai parlé qu'une seule fois au téléphone à cause du décalage horaire, et à cause de l'emploi du temps DÉLIRANT qu'on m'a prévu. Quand, je vous le demande, j'aurais pu appeler mon petit ami ?

Vous savez quoi ? Non contentes de faire pleurer une jeune fille de bientôt quinze ans, les forces du destin s'appliquent à nous mettre des bâtons dans les roues, à Michael et à moi. Je n'ai même pas eu le temps de lui acheter un cadeau d'anniversaire, et c'est dans trois jours.

Cela fait presque deux semaines que je suis la petite amie de Michael Moscovitz et je le délaisse déjà.

D'après Grand-Mère, qui est bien placée pour le savoir, il n'y a pas que Michael que je délaisse. Je délaisse mon peuple, mon père ; bref, tout et tout le monde.

Je ne comprends pas. Il ne s'agit que de PARC-MÈTRES, bon sang!

13 jours, dix-neuf heures que je n'ai pas vu Michael.

D'après l'agenda royal de la princesse
Amelia Mignonette Thermopolis Renaldo

Samedi 3 janvier

8 h 00 – 9 h 00
Petit déjeuner avec les cavaliers de l'équipe équestre de Genovia

Personnellement, je n'ai rien contre les gens qui font du cheval parce que je trouve que les chevaux, c'est assez cool. Mais qu'est-ce que le personnel des cuisines du palais a CONTRE LE KETCHUP? Sérieux. Depuis que j'ai décidé de recommencer à manger des produits laitiers et des œufs parce que je ne peux pas vivre sans fromage et que McDonald s'est mis à traiter les poules qui pondent les œufs des McMuffins avec humanité, je me suis rendu compte qu'il n'y avait rien de meilleur qu'une omelette au fromage pour le petit déjeuner. MAIS COMMENT VOULEZ-VOUS QUE JE L'AIME SANS KETCHUP??? La prochaine fois que je viens à Genovia, j'apporterai ma propre bouteille.

9 h 30 – 12 h 00
Inauguration officielle de la nouvelle aile moderne du musée de Genovia

Vous savez quoi ? Je peins mieux que certains de ces artistes à la gomme et on ne peut pas dire que j'ai du talent. Enfin, ils ont accroché une toile de maman *(Portrait de la fille de l'artiste à l'âge de cinq ans refusant de manger son hot-dog),* du coup, ça va.

12 h 30 – 14 h 00
Déjeuner avec l'ambassadeur du Japon à Genovia, Domo Arigato

14 h 30 – 16 h 30
Débat au Parlement de Genovia

Encore ??? J'ai passé toute la session à penser à Michael. Parfois, quand il sourit, il a un coin de sa bouche qui monte plus haut que l'autre. Il a aussi des lèvres super belles. Et des yeux noirs magnifiques. Des yeux qui voient au fond de mon âme. IL ME MANQUE TELLEMENT !!! RAS LE BOL !!!!! SI JE NE ME RETENAIS PAS, J'APPELLERAIS AMNESTY INTERNATIONAL. C'EST UNE TORTURE QUE DE M'ÉLOIGNER DE L'HOMME QUE J'AIME PENDANT SI LONGTEMPS !

17 h 00 – 18 h 00
Thé avec la Société historique de Genovia

J'ai appris des tas de choses très intéressantes sur certains membres de ma famille. Dommage que le prince René n'ait pas été là (il est allé s'acheter un nouveau cheval pour le polo). Je suis sûre que ça l'aurait intéressé, aussi.

19 h 00 – 22 h 00
Dîner officiel avec les membres de l'Association commerciale de Genovia

Le prince René n'a rien raté.
14 jours QJNPVM. Je ne crois pas que je pourrai supporter son absence plus longtemps.

Poème pour M. M

De l'autre côté de l'océan bleu
Michael est loin de mes yeux
Mais au fond de moi
Il est là
Car il vit à jamais dans mon cœur
même si je ne l'ai pas vu depuis 336 heures

Je vais devoir m'améliorer si je veux rendre un hommage plus juste à mon amour.

D'après l'agenda royal de la princesse
Amelia Mignonette Thermopolis Renaldo

Dimanche 4 janvier
9 h 00 – 10 h 00
Messe dans la chapelle royale

Je croyais que lorsqu'on assistait à une messe, on était habité par un bien-être spirituel. Moi, j'ai surtout eu envie de dormir…
10 h 30 – 16 h 00
Sortie en mer sur le yacht royal de Genovia

Pourquoi est-ce que je suis la personne la moins bronzée de Genovia ? J'aimerais bien savoir aussi combien René a de maillots de bain. À croire qu'il se prend pour un mannequin de chez Speedo. En tout cas, la fraîcheur de l'air n'a pas l'air de le gêner… C'est sûr qu'avec toutes ces filles qui hurlaient son nom, sur le port, ça doit lui tourner la tête. Est-ce qu'elles seraient encore aussi folles de lui si elles savaient que je l'ai surpris un jour en train de chanter une chanson de Enrique Inglesias devant le grand miroir de la salle de réception, avec mon sceptre en guise de micro ?

16h30 – 19h00
Leçons de princesse avec Grand-Mère

Même à Genovia, ça continue. Comme si je ne m'étais pas rendu compte que cette histoire de discours avait troublé tout le monde. Je tiens tout de même à rappeler que j'ai déjà juré de ne plus jamais m'écarter du texte écrit quand je m'adresse au peuple de Genovia. Grand-Mère va-t-elle me rebattre les oreilles longtemps avec ça?

19h00 – 22h00
Dîner officiel avec le Premier ministre français et sa famille

René a disparu pendant quatre heures avec la fille de vingt ans du Premier ministre. Ils ont raconté qu'ils étaient allés jouer à la roulette. Si c'est vrai, pourquoi est-ce qu'ils n'arrêtaient pas de rigoler? Et si René ne fait pas attention, il va se retrouver avec un petit prince sur les bras plus tôt qu'il ne le pense.

15 jours QJNPVM.

J'ai essayé de l'appeler deux fois aujourd'hui. Mrs. Moscovitz (la mère de la mère de Michael) a répondu la première fois. Elle m'a dit que Michael était allé s'acheter une cartouche d'encre pour son ordinateur. La deuxième fois, c'est son père qui a décroché. Michael et Lilly étaient partis au cinéma avec leurs grands-parents pour voir le dernier James Bond. Les veinards!!!!!!!!!!!!

D'après l'agenda royal de la princesse
Amelia Mignonette Thermopolis Renaldo

Lundi 5 janvier
8 h 00 – 9 h 00
Petit déjeuner avec la compagnie de ballet de Genovia

C'est la première fois que je vois René se lever avant 10 heures.

9 h 30 – 12 h 00
Répétition de La Belle au bois dormant *au studio de danse de la compagnie*

Je ne sais pas si Lilly a raison de dire que l'art du ballet est totalement sexiste. Je tiens à préciser que les garçons portent des collants. Ce qui est une information qui en dit long, si vous voyez à quoi je pense.

12 h 30 – 14 h 00
Déjeuner avec le ministre du Tourisme de Genovia

Accordera-t-on jamais un peu de mérite à mon idée de parcmètres? Par ailleurs, le passage continuel des touristes qui débarquent des ferrys tous les jours dans le port de Genovia est assez mauvais pour certains de nos très vieux ponts, comme le pont des Vierges. Le pont s'appelle comme ça à cause de mon arrière-arrière-arrière-arrière-arrière-arrière-arrière-grand-mère Agnès, qui s'est jetée de là pour ne pas entrer dans les ordres comme le désirait son père (elle a eu raison, vu qu'elle a été repêchée par un navire de la marine royale et qu'elle s'est enfuie ensuite avec le capitaine, à la grande consternation de la maison Renaldo). Je me fiche de savoir quel pourcentage du produit national brut repose sur la fréquentation des touristes qui viennent passer une journée ici. Ils détruisent TOUT !

14 h 30 – 16 h 30
Conférence de presse donnée par mon père sur l'importance de Genovia en tant que partenaire incontournable dans l'économie mondiale d'aujourd'hui

Est-il possible de s'ennuyer plus dans la vie? Michael! Ô, Michael! Où es-tu, mon adoré?

17 h 00 – 18 h 00
Thé avec Grand-Mère et les dames de charité de Genovia

J'ai renversé du thé sur mes nouveaux escarpins en satin blanc qui allaient avec ma robe blanche. Maintenant, ils vont avec le thé.

19 h 00 – 23 h 00
Dîner officiel avec l'ancien chef d'État russe et sa femme

René a été absent pendant presque tout le repas. On l'a retrouvé après le dessert en train de faire des cabrioles dans la fontaine du jardin avec la danseuse étoile du ballet de Genovia. Papa était très en colère. J'ai essayé de le calmer en faisant la conversation avec sa nouvelle petite amie, Miss République tchèque, histoire qu'elle se sente bien accueillie dans la famille au cas où elle en ferait partie un jour.

16 jours QJNPVM. Si ça continue, je vais devenir aphasique comme Drew Barrymore dans *Firestarter* et me mettre à penser que mon père est un chapeau.

Mardi 6 janvier
Dans les appartements privés de la princesse douairière

IL M'A APPELÉE !!!!!!!!!!!!!
Sauf que je n'étais pas là (comme d'habitude). J'étais à l'opéra de Genovia. On y donnait *La Bohème*. J'ai bien aimé, à part la fin, parce que tous les personnages sympa MEURENT.

Michael a laissé un message à la standardiste du palais. Il me dit : *Salut.*

Salut!!!!!!!!! Michael m'a dit *SALUT*!!!

J'ai essayé de le rappeler, bien sûr, mais les Moscovitz étaient tous sortis à l'exception du Dr. Moscovitz (Mme). Elle attendait le coup de fil d'une de ses patientes, qui avait besoin d'une séance en urgence (une accro du shopping qui avait rechuté à cause des soldes de janvier).

Le Dr. Moscovitz m'a promis de dire à Michael que j'avais rappelé et de lui transmettre mon message. Qui est : *Salut.*

J'aurais voulu lui dire quelque chose de plus romantique, mais ce n'est pas évident de prononcer le mot «aimer» quand on s'adresse à la mère de son petit copain.

Ce n'est pas vrai! Grand-Mère est encore en train de hurler. Elle m'a fait la morale toute la journée à cause de ce stupide bal que le palais a organisé pour me souhaiter un bon retour en Amérique. Il doit avoir lieu la veille de mon départ... et de mes retrouvailles avec l'amour de ma vie.

En deux mots : le prince William y assistera, vu qu'il sera de toute façon à Genovia puisqu'il participe au match de polo organisé au profit d'une œuvre de charité. Bref, Grand-Mère a peur que je gaffe devant lui (P.W.) comme j'ai gaffé quand je me suis adressée pour la première fois à mon peuple.

Comme si j'allais parler de parcmètres avec le prince William. Enfin, passons.

« Franchement, tu es une énigme pour moi ! s'est-elle écriée. Tu es dans la lune depuis qu'on a quitté New York. C'est pire que d'habitude ! »

Elle m'a dit ça en plissant les yeux et je peux vous assurer qu'elle fait super peur, dans ces moments-là. Grand-Mère s'est fait tatouer un trait d'eye-liner autour des paupières. Comme cela, le matin, elle n'a plus qu'à se raser les sourcils et s'en dessiner de nouveaux au lieu de s'embêter avec le mascara et le crayon.

« Tu ne penses pas *encore* à ce garçon ! » a-t-elle dit.

Ce garçon. C'est comme ça que Grand-Mère appelle Michael depuis que je lui ai annoncé qu'il était ma raison de vivre. Enfin, à l'exception de Fat Louie, mon chat, évidemment.

« Si tu parles de Michael Moscovitz, ai-je répondu de ma voix la plus princière, oui, c'est à lui que je pense. Et il occupe mes pensées pratiquement tout le temps car mon cœur brûle pour lui. »

En guise de réponse, Grand-Mère s'est contentée de ronchonner.

« Amours adolescentes, a-t-elle dit. Ça te passera. »

Excuse-moi, Grand-Mère, mais je crois que tu te trompes. J'aime Michael depuis à peu près huit ans, à l'exception peut-être de deux petites semaines où j'ai cru être amoureuse de Josh Richter. Huit ans, c'est plus que la moitié de ma vie. Un amour aussi profond et constant ne s'oublie pas si facilement. Mais apparemment, ce genre de sentiment échappe à ta compréhension prosaïque des émotions humaines.

Bien sûr, je ne lui ai rien dit de tout cela, étant donné que Grand-Mère a de très longs ongles avec lesquels elle a tendance à griffer « sans le faire exprès ».

Petite précision : ce n'est pas parce que Michael est ma raison de vivre que je vais me mettre à décorer mon classeur de maths de petits cœurs et de petites fleurs, ou que je vais écrire partout Mrs. Michael Moscovitz, comme Lana Weinberger (sauf qu'elle, c'est Mrs. Josh Richter qu'elle écrit). Non seulement je trouve ça complètement stupide et je refuse de perdre mon identité pour celle de mon mari, mais en tant que prince consort, c'est Michael qui doit porter mon nom. Pas Thermopolis. Mais Renaldo. Michael Renaldo. Ça sonne pas mal, en fait.

Encore treize jours avant de revoir les lumières de New York et les yeux noirs de Michael. Je vous en prie, mon Dieu, faites que je vive jusque-là.

S.A.R Michael Renaldo

M. Renaldo, prince consort

Michael Moscovitz Renaldo de Genovia

17 jours QJNPVM.

D'après l'agenda royal de la princesse
Amelia Mignonette Thermopolis Renaldo

Mercredi 7 janvier

Tout ce que j'ai à dire aujourd'hui, c'est que si ces gens VEULENT que leur infrastructure soit détruite par les cars de touristes… qui consomment un maximum d'essence, c'est leur problème. Qui suis-je pour me mettre en travers de leur route ?

Oh, pardon, je suis juste leur PRINCESSE.

18 jours QJNPVM.

D'après l'agenda royal de la princesse
Amelia Mignonette Thermopolis Renaldo

Jeudi 8 janvier
8 h 00 – 9 h 00
Petit déjeuner avec l'ambassadeur d'Espagne

Toujours pas de ketchup !!!!!!!

9 h 30 – 12 h 00

Dernières touches à mon portrait. Je ne serai autorisée à le voir fini que le soir du bal, quand il sera dévoilé devant toute l'assistance. J'espère que l'artiste n'a pas peint le bouton qui est en train de pousser sur mon menton. Ce serait assez gênant.

12 h 30 – 14 h 00
Déjeuner avec le ministre des Finances de Genovia

ENFIN!!!!!!!!!! Quelqu'un qui est d'accord avec moi sur l'avantage fiscal des parcmètres! Et cet homme, c'est le ministre des Finances!

Dommage que Grand-Mère ne soit toujours pas convaincue. Parce que c'est elle, davantage que papa ou le Parlement, qui a le plus d'influence auprès de l'opinion publique.

14 h 30 – 16 h 30

Nouvelles répétitions aujourd'hui sur ce que je peux dire ou non au prince William quand je le rencontrerai. Par exemple, je peux lui dire : « Je suis enchantée de faire votre connaissance » mais pas « On vous a déjà dit que vous ressemblez à Heath Ledger ? »

René, qui est passé en coup de vent, m'a suggéré de lui demander ce qui s'était vraiment passé entre lui et Britney Spears. Grand-Mère a dit que si je faisais ça, elle me confierait Rommel la prochaine fois qu'elle va à Baden-Baden pour un lifting.

19 h 00 – 23 h 00
Dîner officiel avec le plus grand importateur-exportateur d'huile d'olive de Genovia

RAS.
19 jours QJNPVM.

Vendredi 9 janvier, 3 heures du matin
Dans mes appartements privés du palais

Je viens de penser à quelque chose : quand Michael m'a dit qu'il m'aimait, le soir du bal du lycée, peut-être qu'il voulait juste parler d'amitié, et non pas de passion enflammée. Bref, qu'il m'aimait bien, comme on aime bien une copine.

Sauf qu'on ne fourre pas sa langue dans la bouche d'une copine.

Enfin, peut-être qu'ils le font, en Europe, mais certainement pas en Amérique.

À l'exception de Josh Richter, qui m'a embrassée avec la langue le soir du bal du lycée. Mais il n'était PAS amoureux de moi !!!!!!!

Cette histoire m'embête un peu. Franchement. Ça m'a même réveillée en plein milieu de la nuit. Ce qui n'est pas très malin, vu que demain je dois inaugurer le nouvel orphelinat de Genovia.

Mais comment dormir quand mon petit copain est en Floride et ne m'aime peut-être que comme une copine ? Qui sait s'il n'est pas en train de tomber amoureux de Kate Bosworth en ce moment même ?

Contrairement à moi, Kate Bosworth est douée pour quelque chose (le surf). KATE BOSWORTH a du talent. PAS MOI.

Pourquoi est-ce que je suis aussi bête? Pourquoi est-ce que je n'ai pas demandé à Michael de me préciser de quel amour il s'agissait quand il m'a dit qu'il m'aimait? Pourquoi je ne lui ai pas dit : «Tu m'aimes comment? Comme une amie? Comme la femme de ta vie?»

Je suis vraiment trop bête.

Jamais je n'arriverai à me rendormir. C'est impossible, sachant que l'homme que j'aime pense peut-être à moi comme à une copine qu'il aime bien embrasser sur la bouche.

Il ne me reste qu'une chose à faire : appeler la seule personne de ma connaissance qui pourra m'aider. Et je sais que je peux l'appeler parce que :

1. Il est sept heures du matin à Aspen, où elle est en ce moment.

2. Elle a reçu un nouveau portable pour Noël, donc je peux la joindre, qu'elle soit assise sur un télésiège ou en train de skier.

Heureusement que j'ai le téléphone dans ma chambre. Même si je dois faire le 9 pour avoir un numéro à l'extérieur du palais.

20 jours QJNPVM.

Vendredi 9 janvier, 3 heures du matin
Toujours dans mes appartements privés du palais

Tina a décroché à la première sonnerie! Elle n'était pas du tout assise sur un télésiège. Elle s'est foulé la cheville hier. Merci, mon Dieu, que Tina se soit foulé la cheville hier. Parce que ça veut dire qu'elle est disponible aujourd'hui pour moi, en ces heures difficiles.

Et merci aussi qu'elle n'ait pas trop mal (Tina m'a dit que ça l'élançait seulement quand elle bougeait).

Bref, Tina était dans sa chambre et regardait *Co-Ed Call Girl* quand j'ai appelé. C'est le téléfilm où Tori Spelling joue le rôle d'une étudiante qui travaille comme call-girl pour payer ses études. J'ai lu que c'était tiré d'une histoire vraie.

J'ai eu un peu de mal au début à obliger Tina à m'écouter. Tout ce qu'elle voulait savoir, c'est ce que je vais dire au prince William. J'ai essayé de lui expliquer que, d'après Grand-Mère, je n'étais pas autorisée à lui dire plus que : «Enchantée de faire votre connaissance.» Je crois que Grand-Mère a peur que je l'entretienne de parcmètres (elle ne trouve pas ça très glamour).

De toute façon, qu'est-ce que ça peut faire, ce que je vais lui dire? Mon cœur est pris. J'ai l'impression que Tina a été un peu déçue quand je lui ai répondu ça.

«Tu pourrais au moins lui demander son adresse e-mail pour moi, a-t-elle dit. Je te rappelle que tout le monde ne vit pas une histoire d'amour aussi passionnée que la tienne.»

Depuis qu'il sort avec Tina, David El-Farouq n'a pas cessé de se dédire. Il lui a expliqué qu'un garçon ne peut pas s'engager auprès d'une fille avant seize ans. Du coup, même si Tina dit qu'il est son Roméo en pantalon baggy, elle se considère libre pour le cas où un joli garçon serait prêt, lui, à s'engager. À mon avis, le prince William est trop vieux pour elle. Je lui ai suggéré Harry, le petit frère de William, qui est, paraît-il, très mignon aussi. Mais Tina m'a répondu que dans ce cas, elle ne serait jamais reine. Je la comprends. En même temps, je peux vous dire qu'une fois qu'on est de l'autre côté de la barrière (c'est-à-dire du côté des rois et des princes), c'est nettement moins drôle que ce qu'on pouvait imaginer.

«D'accord, ai-je promis à Tina. Je vais essayer de t'obtenir l'adresse e-mail du prince William. Mais j'ai d'autres soucis en tête, Tina. Par exemple, je me demande si Michael ne m'aime pas juste comme une copine.

— Quoi? s'est exclamée Tina, choquée. Je croyais qu'il avait employé le mot avec un grand A le soir du bal du lycée!

— C'est vrai, ai-je répondu. Sauf qu'il n'a pas dit qu'il était *amoureux*. Il a juste dit qu'il m'aimait. »

Heureusement, je n'ai pas eu besoin d'en dire plus. Tina a suffisamment lu d'histoires d'amour pour comprendre de quoi je parlais.

« Les garçons ne disent pas qu'ils aiment une fille s'ils ne l'aiment pas vraiment, Mia, a déclaré Tina. Je le sais parce que... Dave ne me l'a jamais dit, a-t-elle ajouté d'une voix tremblante.

— Je comprends, Tina, ai-je répondu avec compassion. Mais la question que je me pose, c'est *comment* Michael m'aime. Je l'ai entendu dire à son chien qu'il l'aimait. Mais il n'est pas *amoureux* de son chien.

— Je vois ce que tu veux dire, a déclaré Tina, bien que me paraissant assez perdue. Qu'est-ce que tu vas faire, alors ?

— C'est pour ça que je t'ai appelée ! me suis-je écriée. Tu crois que je devrais lui demander ? »

Tina a poussé un cri. J'ai cru qu'elle avait mal parce qu'elle avait bougé la cheville. Mais pas du tout. C'est parce qu'elle était horrifiée par ce que je venais de dire.

« Surtout pas ! a-t-elle hurlé. Tu te rends compte comme tu le mettrais dans l'embarras. Il faut que tu sois beaucoup plus subtile. N'oublie pas que, même si Michael est un être supérieur, il n'en reste pas moins un garçon. »

Je n'avais pas pensé à ça. Il y a des tas de choses, finalement, auxquelles je n'ai jamais pensé. Par exemple, je n'en revenais pas de m'être laissée aller à la félicité, portée par le seul bonheur de savoir que Michael m'aimait bien, alors que pendant tout ce temps, il était peut-être tombé amoureux d'une autre fille, plus intellectuelle ou plus sportive.

«Peut-être que je devrais juste lui demander s'il m'aime comme une amie ou comme une petite amie?

— Mia, a fait Tina, franchement je ne crois pas que tu devrais lui poser ce genre de question de but en blanc. Qui sait s'il ne va pas prendre ses jambes à son cou, comme un faon effarouché? Les garçons ont tendance à faire ça. Ils ne sont pas comme nous. Ils n'aiment pas parler de leurs sentiments.»

C'est incroyable. Pour entendre un conseil aussi avisé que celui-ci, j'ai dû appeler quelqu'un qui se trouve à douze mille kilomètres d'ici. Merci, mon Dieu, d'avoir fait que Tina Hakim Baba existe, c'est tout ce que j'ai à dire.

«Qu'est-ce que je devrais faire à ton avis? ai-je demandé.

— Avant ton retour, malheureusement pas grand-chose, a répondu Tina. La seule façon de connaître les sentiments d'un garçon, c'est de le regarder dans les yeux. Tu ne découvriras rien au téléphone, Mia. Les garçons sont assez mauvais au téléphone.»

Tout à fait vrai. Mon ex-petit ami, Kenny, en est un bon exemple.

« J'ai trouvé, a repris Tina, avec la voix de quelqu'un qui vient d'avoir une idée. Pourquoi ne demandes-tu pas à Lilly ?

— Je ne sais pas. Ça me fait un peu bizarre de la mêler à ça… »

En vérité, on n'avait pas encore vraiment parlé, Lilly et moi, de mes sentiments pour son frère ou de ses sentiments à lui pour moi. J'avais toujours pensé que Lilly serait folle de rage. En fait, elle nous a plus ou moins aidés quand elle a confié à Michael que c'était moi qui lui envoyais des lettres d'amour anonymes.

« Demande-lui, tu verras bien, a insisté Tina.

— Mais il est tard.

— Tard ? a répété Tina. Il n'est que neuf heures en Floride !

— C'est-à-dire l'heure à laquelle les grands-parents de Michael et de Lilly vont se coucher. Imagine que j'appelle et que je les réveille. Ils ne me le pardonneront jamais. »

Et ça risquerait de se retourner contre moi, le jour du mariage. Je ne l'ai pas dit à Tina. Mais maintenant que j'y repense, je regrette de m'être tue parce que je suis sûre qu'elle aurait compris.

« Ils ne t'en voudront pas si tu les réveilles, Mia, a fait remarquer Tina. Ils savent que tu appelles d'un autre fuseau horaire. En tout cas, n'oublie pas de me téléphoner quand tu lui auras parlé. Je veux savoir ce qu'elle te dira. »

Je dois avouer que ma main tremblait quand j'ai composé le numéro. Pas tant parce que je craignais de réveiller Mr. et Mrs. Moscovitz et qu'ils me haïssent pendant le restant de leur vie, mais parce qu'il y avait une chance pour que ce soit Michael qui décroche. S'il y avait une chose dont j'étais sûre et certaine, c'est que je n'allais pas lui demander à lui s'il m'aimait comme une amie ou une petite amie. Tina me l'avait interdit.

Lilly a répondu dès la première sonnerie. Voilà comment s'est déroulée notre conversation.

Lilly : Ouah ! C'est toi ?

Moi : Il n'est pas trop tard ? Je n'ai pas réveillé tes grands-parents, j'espère ?

Lilly : Eh bien… si, mais ne t'inquiète pas. Ils s'en remettront. Comment ça se passe, alors ?

Moi : Tu veux parler de Genovia ? Ça va.

Lilly : Un peu que ça doit aller ! Avec tout le monde qui est aux petits soins pour toi, trente-six mille serviteurs prêts à satisfaire le moindre de tes désirs, et une couronne sur la tête !

Moi : La couronne est un peu lourde. Mais, écoute, je t'appelle pour autre chose, Lilly. Dis-moi, est-ce que Michael a rencontré une autre fille ?

Lilly : Une autre fille ? De quoi tu parles ?

Moi : Tu sais bien. Une fille de Floride, qui fait du surf. Une fille qui s'appellerait Kate, ou Anne-Marie, avec un œil bleu et l'autre marron. Dis-moi la vérité, Lilly. Je te jure que je suis capable de l'entendre.

Lilly : Premièrement, si Michael avait rencontré une autre fille, ça voudrait dire qu'il a éteint son ordinateur portable et qu'il est sorti de l'appartement, ce qu'il ne fait que pour venir dîner et aller s'acheter du matériel informatique. Il est blanc comme un cachet d'aspirine. Et deuxièmement, il est hors de question qu'il sorte avec une fille du nom de Kate, parce que c'est toi qu'il aime.

Moi (en pleurant pratiquement de soulagement) : C'est vrai, Lilly ? Tu me le jures ? Tu ne me racontes pas des craques pour que je me sente mieux ?

Lilly : Non, je ne te raconte pas de craques. Cela dit, je me demande pendant combien de temps encore il va te vénérer, sachant que tu ne t'es même pas rappelé que c'était son anniversaire.

J'ai eu l'impression que quelque chose me saisissait à la gorge. L'anniversaire de Michael ! J'avais oublié l'anniversaire de Michael ! Je l'avais noté sur mon nouvel agenda mais avec tout ce qui s'était passé…

« Oh, Lilly ! ai-je hurlé. J'ai complètement oublié !

— Oui, a répondu Lilly. Tu as oublié. Mais ne te fais pas de mouron. Je suis pratiquement sûre qu'il ne s'attendait pas à recevoir de carte. Il sait bien que tu es partie pour assumer ton rôle de princesse de

Genovia. Comment peut-on espérer que tu te souviennes de quelque chose d'aussi important que l'anniversaire de ton petit ami ? »

Ce n'était vraiment pas juste. On ne sort ensemble que depuis vingt-deux jours, Michael et moi, et sur ces vingt-deux jours, j'ai été très, très occupée pendant vingt et un jours. C'est facile pour Lilly de se moquer. On voit bien qu'elle n'a pas eu à inaugurer des navires ou à partir en croisade pour des parcmètres. Je suis prête à parier que personne n'imagine à quel point le métier de princesse est difficile.

« Lilly, est-ce que je peux lui parler ? ai-je demandé. À Michael, je veux dire ?

— Bien sûr, a répondu Lilly avant de hurler : Michael ! Téléphone !

— Lilly ! ai-je fait, choquée. Et tes grands-parents ?

— Ça leur apprendra à claquer la porte à cinq heures du matin, quand ils vont chercher le *Times*. »

Après un temps qui m'a paru très long, j'ai entendu le bruit de pas puis la voix de Michael qui remerciait sa sœur et qui disait ensuite, d'un air intrigué, car Lilly ne lui avait pas révélé l'identité de la personne au bout du fil : « Allô ? »

Le seul fait d'entendre sa voix m'a aussitôt fait oublier qu'il était deux heures du matin, que j'étais malheureuse et que je détestais ma vie. J'avais soudain l'impression qu'il était deux heures de l'après-midi, que j'étais allongée sur une des plages que je cherche tant à protéger de l'érosion et de la pollution et que quelqu'un m'apportait un verre d'Orangina glacé sur un plateau d'argent. C'est l'effet que me faisait la voix de Michael.

« Michael, ai-je dit. C'est moi.

— Mia ! » s'est-il exclamé, l'air sincèrement ravi de m'entendre. Je ne crois pas avoir rêvé : il semblait vraiment heureux et ne donnait pas du tout l'impression d'être sur le point de me plaquer pour Kate Bosworth.

« Comment vas-tu ? m'a-t-il demandé.

— Ça va », ai-je répondu. Puis, parce qu'il fallait bien que je le reconnaisse à un moment ou à un autre, j'ai ajouté : « Je suis désolée, Michael. Je n'arrive pas à croire que j'aie pu oublier ton anniversaire. Je suis nulle. Complètement nulle. Je suis la personne la plus horrible qui ait jamais existé. »

Michael a fait alors quelque chose d'extraordinaire. Il a éclaté de rire. Comme si ce n'était pas grave que j'aie pu oublier son anniversaire !

« Laisse tomber, a-t-il dit. Je sais bien que tu es occupée, sans compter qu'avec le décalage horaire, on ne vit pas à la même heure. Raconte-moi plutôt comment ça se passe. Est-ce que ta grand-mère s'est calmée avec cette histoire de parcmètres ou est-ce qu'elle est encore sur ton dos ? »

J'étais assise sur mon lit à baldaquin, avec le téléphone coincé contre mon oreille et j'ai fondu devant tant de gentillesse. Comment Michael pouvait-il être aussi adorable après ce que j'avais fait ? Ce n'était plus comme si vingt jours s'étaient écoulés. C'était comme si on se tenait encore devant la porte de mon immeuble, tandis que la neige tombait, si blanche comparée à ses cheveux noirs, et que Lars commençait à râler parce qu'on n'arrêtait pas de s'embrasser et qu'il avait froid et envie de rentrer.

Je n'en revenais pas d'avoir pu penser que Michael pouvait tomber amoureux d'une fille avec un œil marron et l'autre bleu, et une planche de surf sous le bras. Peut-être que je ne savais toujours pas s'il était amoureux de moi, mais ce qui ne laissait pas l'ombre d'un doute, c'est qu'il m'aimait bien.

Et pour l'instant, à trois heures du matin, dans mes appartements privés du palais de Genovia, ça me suffisait.

Je lui ai demandé comment s'était passé son anniversaire et il m'a raconté qu'il l'avait fêté avec toute sa famille dans un restaurant de poissons. Sauf que Lilly a fait une allergie à son cocktail de crevettes, et qu'ils ont dû écourter le repas pour la conduire aux urgences parce qu'elle s'était mise à enfler de partout, comme Violette Beauregard dans *Charlie et la chocolaterie.* Résultat : maintenant, elle doit tout le temps avoir sur elle une seringue d'adrénaline au cas où elle remangerait des coquillages sans le savoir. Sinon, Michael m'a dit que ses parents lui avaient offert un nouvel ordinateur portable qu'il pourra emporter à l'université. Il m'a expliqué aussi qu'à son retour à New York, il envisageait de monter un groupe de rock parce qu'il a du mal à se trouver des sponsors pour son magazine en ligne, *Le Cerveau,* depuis qu'il a descendu Windows dans ses colonnes et écrit qu'il n'utilisait plus que Linux.

Apparemment, un tas d'anciens souscripteurs du *Cerveau* craignaient de subir les foudres de Bill Gates et de ses comparses.

J'étais tellement heureuse d'entendre la voix de Michael que je me suis rendu compte de l'heure seulement lorsqu'il m'a dit : «Hé? Il n'est pas trois heures du matin, chez toi?» Oui, il était trois heures du matin mais je m'en fichais! Je parlais avec Michael et il n'y avait que ça qui comptait.

«Oui, je crois, ai-je répondu d'une voix rêveuse.

— Tu devrais aller te coucher, a dit Michael. À moins qu'on ne te laisse faire la grasse matinée. Mais ça m'étonnerait. Je parie même que tu as un paquet de choses à faire, demain.

— Oh, ai-je dit, sur mon petit nuage, parce que c'est là où me transporte la voix de Michael, j'ai juste un ruban à couper pour l'inauguration d'un hôpital. Ensuite, je dois déjeuner avec la Société historique de

Genovia, visiter le zoo et enfin je dîne avec le ministre de la Culture et sa femme.

— Ouah! s'est exclamé Michael. Et c'est comme ça tous les jours?

— Hum hum.»

Qu'est-ce que j'aurais aimé être à ses côtés à ce moment-là! Plonger mon regard dans ses adorables yeux noirs, me laisser bercer par son adorable voix grave, et savoir s'il m'aimait d'amour ou pas puisque, d'après Tina, c'est la seule façon d'être fixée, avec les garçons.

«Mia, il faut vraiment que tu dormes, a insisté Michael.

— Oui, oui, ai-je répondu, gaiement.

— Je ne plaisante pas, Mia.»

Michael peut être très autoritaire, parfois, comme la Bête, dans *La Belle et la Bête,* qui est mon film préféré. Ou comme Patrick Swayze avec Bébé dans *Dirty Dancing.* Je trouve ça tellement excitant!

«Raccroche maintenant et va te coucher! m'a-t-il ordonné.

— Tu raccroches le premier», ai-je dit.

Il s'est montré moins autoritaire, après ça. Il m'a parlé avec la voix que je lui ai entendue juste une fois, quand on était dehors, devant la porte de mon immeuble, le soir du bal du lycée, et qu'on s'embrassait comme des fous.

Pour être franche, c'était encore plus excitant que lorsqu'il est autoritaire.

«Non, Mia, tu raccroches d'abord.

— Non, ai-je répondu en gloussant presque. Toi.

— Non, a-t-il dit. Toi.

— C'est pas un peu fini, vos simagrées, a lâché Lilly qui avait vraisemblablement décroché un autre appareil. Raccrochez, maintenant. Il faut que j'appelle Boris avant qu'il soit trop tard.»

On s'est alors dit au revoir très rapidement, Michael et moi, et on a raccroché.

Mais je suis quasi sûre que Michael m'aurait dit «Je t'aime» si Lilly n'avait pas surpris notre conversation.

Dans dix jours, je le revois. Je n'en peux plus!!!!!!!!!!!!!!

D'après l'agenda royal de la princesse
Amelia Mignonette Thermopolis Renaldo

Samedi 10 janvier
13h00 — 15h00
Déjeuner avec l'ambassadeur du Brésil

C'est incroyable ce que Grand-Mère peut être méchante. Et je pèse mes mots. Elle m'a pincée tout à l'heure parce que je me suis endormie un quart de seconde pendant le déjeuner! Je suis sûre que je vais avoir un bleu. Heureusement pour elle, je n'ai pas le temps d'aller à la plage, sinon tout le monde, en voyant la marque qu'elle m'a faite, aurait appelé les services de la Protection de l'enfance.

En plus, je ne dormais même pas. Je reposais mes yeux.

Grand-Mère dit que Michael est cruel de me tenir éveillée pendant des heures à me conter fleurette dans le creux de l'oreille. Elle dit que le prince René ne traiterait jamais ses petites amies de façon aussi cavalière!

Je lui ai fait remarquer que Michael m'avait dit de raccrocher, parce qu'il se soucie de ma personne, et que c'est moi qui ai insisté pour continuer à parler. Par ailleurs, on ne se contait pas fleurette, comme elle dit, on parlait de choses sérieuses, comme l'art, la littérature et la mainmise de Bill Gates sur l'industrie de l'informatique. Ce à quoi Grand-Mère a répondu en faisant : Pfuit!

En fait, elle est jalouse. Elle adorerait avoir un petit ami aussi intelligent et attentionné que Michael. Mais ça n'arrivera jamais, parce que Grand-Mère est trop méchante. Sans compter ce qu'elle s'est fait aux sourcils. Les garçons aiment les filles qui ont de vrais sourcils, et pas des sourcils tatoués.

Encore neuf jours avant d'être dans les bras de l'amour de ma vie.

Samedi 10 janvier, 11 heures
Dans mes appartements privés du palais

Je n'en reviens pas! Comme elle ne pouvait pas skier avec sa famille, Tina a passé toute la journée dans le cybercafé d'Aspen où elle a téléchargé les horoscopes de tous ses amis. Elle m'a faxé le mien et celui de Michael! Je vais les recopier dans mon journal pour ne pas les perdre. C'est tellement juste que j'en ai des frissons.

Michael — Date de naissance : 5 janvier

Le Capricorne dirige tous les signes de Terre. Stable, c'est l'un des signes du zodiaque les plus consciencieux. Il est doté d'intenses pouvoirs de concentration et est tout sauf narcissique. Le Capricorne a bien plus confiance dans ce qu'il fait que dans ce qu'il est. C'est un sujet très doué! Mais s'il ne fait pas attention, il peut se montrer trop rigide et ne s'intéresser qu'à l'accomplissement, au détriment des petites joies de l'existence. Quand le Capricorne décide enfin de se détendre et de profiter de la vie, il révèle des secrets délicieux. Personne n'a autant le sens de l'humour que lui. Dernière chose: le Capricorne a un sourire à faire fondre!

Mia — Date de naissance : 1ᵉʳ mai

Gouverné par Vénus, le Taureau est un esprit d'une grande profondeur émotionnelle. Les amis et les amoureux comptent sur la chaleur et l'accessibilité affective du Taureau. Le Taureau représente la constance, la loyauté et la patience. Signe de Terre, il peut se révéler très rigide et trop prudent face à certains risques nécessaires dans la vie. Parfois, le Taureau se retrouve enfoncé dans la boue. Il est possible qu'il ne veuille pas se montrer à la hauteur ou donner toute sa mesure. Le Taureau est très têtu. Il refait toujours surface. Son yin peut l'entraîner à beaucoup trop de passivité. Mais on ne peut rêver meilleur amoureux ou ami plus loyal.

Michael + Mia

Courageux et ambitieux, ces deux signes de Terre que sont le Taureau et le Capricorne semblent faits l'un pour l'autre. Ils accordent une grande importance à la réussite professionnelle et partagent l'amour de la beauté et des choses qui durent. L'ironie du Capricorne charme le Taureau tandis que la sensualité experte du Taureau sauve le Capricorne d'un carriérisme un peu trop obsessionnel. Ils aiment avoir de grandes conversations et leur communication est excellente. Ils ont confiance l'un dans l'autre et pour rien au monde ne se blesseraient ni ne se trahiraient. Bref, ils forment un couple parfait.

Incroyable : on est faits l'un pour l'autre! Mais une sensualité experte? Moi? J'ai du mal à y croire. En attendant, je suis tellement heureuse! C'est génial!

D'après l'agenda royal de la princesse
Amelia Mignonette Thermopolis Renaldo

Samedi 11 janvier
9h00 — 10h00
Messe de la chapelle royale de Genovia

Ce n'est pas possible! Ça fait seulement vingt-quatre jours que je suis la petite amie de Michael et je suis déjà nulle. En tant que petite amie, je veux dire. Je ne sais pas quoi lui offrir pour son anniversaire. Michael est l'amour de ma vie, la raison pour laquelle mon cœur bat. Je devrais avoir plein d'idées.

Eh bien, non. Je n'en ai aucune.

Tina dit que le seul cadeau approprié qu'on peut faire à un garçon avec qui on sort officiellement depuis moins de quatre semaines, c'est un pull. Mais même ça, elle trouve que c'est un peu trop, dans la mesure où Michael et moi, on n'a pas encore eu de rendez-vous officiel. Comment peut-on alors sortir ensemble?

Un pull? Ce n'est pas très romantique. C'est le genre de cadeau que je pourrais offrir à mon père, s'il n'avait pas un tel besoin de livres pour apprendre à contrôler sa colère. D'ailleurs, c'est ce que je lui ai offert à Noël. Je pourrais tout à fait offrir un pull à mon beau-père.

Mais à *mon petit ami* ?

Ça m'a un peu étonnée que Tina me suggère un cadeau aussi banal. C'est tout de même l'experte en amour de notre petit groupe. Mais d'après Tina, les règles qui fixent ce qu'on doit offrir aux garçons sont très strictes. C'est sa mère qui les lui a apprises. La mère de Tina était mannequin avant de se marier et fréquentait la jet-set internationale. Il paraît même qu'elle est sortie avec un sultan. Je pense qu'on peut lui faire confiance. Bref, d'après Mrs. Hakim Baba, voilà le genre de cadeaux qu'on peut offrir à un garçon :

Durée	Cadeau approprié
1-4 mois	Pull
5-8 mois	Parfum
9-12 mois	Briquet*
1 an et +	Montre

* Si le garçon ne fume pas, Mrs. Hakim Baba suggère un canif au manche gravé ou bien une flasque de cognac. N'importe quoi ! Comme si j'allais sortir avec

un garçon qui fume ou qui boit, ou qui se promène avec un couteau dans la poche. Bonjour l'amoureux!

Cela dit, sa liste vaut mieux que celle de Grand-Mère. Voilà ce qu'elle m'a proposé hier quand je lui ai raconté – honte sur moi – que j'avais oublié l'anniversaire de Michael.

Durée	Cadeau approprié
1-4 mois	Bonbons
5-8 mois	Livre
9-12 mois	Mouchoir
1 an et +	Gants

Des mouchoirs? Qui offre encore des mouchoirs? Les mouchoirs, c'est complètement contraire à l'hygiène!

Et des bonbons? Des bonbons pour un *garçon*?

Grand-Mère dit que les mêmes règles s'appliquent aux filles. Ainsi, Michael n'est autorisé à m'offrir que des bonbons ou des fleurs, à la rigueur, pour mon anniversaire!

Finalement, je crois que je préfère la liste de Mrs. Hakim Baba.

Vous savez quoi? Cette histoire de cadeau commence à me prendre la tête. Toutes les personnes que j'ai interrogées m'ont dit quelque chose de différent. Par exemple, ma mère, que j'ai appelée hier soir pour lui demander ce qu'elle me conseillait d'offrir à Michael, m'a répondu des caleçons.

Comme si j'allais offrir des SOUS-VÊTEMENTS à Michael !!!!!!!

J'espère qu'elle va se dépêcher d'avoir son bébé, pour arrêter de faire ou de dire n'importe quoi. Dans l'état de déséquilibre hormonal où elle se trouve en ce moment, elle ne m'est pas d'un grand secours.

En désespoir de cause, j'ai demandé son avis à mon père. Il m'a répondu un stylo, pour que Michael puisse m'écrire quand je suis ici au lieu que je l'appelle tout le temps, au risque de faire sauter la banque de Genovia.

Hé ho, papa ? Est-ce que tu sais que plus personne n'écrit avec un stylo de nos jours ? Par ailleurs, je te rappelle que je viens à Genovia seulement pour les vacances de Noël et d'été, comme il a été stipulé dans le contrat qu'on a signé en septembre.

Un stylo. Ben voyons. Est-ce que je suis la seule dans cette famille à être un minimum romantique ?

Oh oh… Je vais devoir arrêter d'écrire. Le Père Christophe regarde vers moi. Mais c'est sa faute, après tout ! Si ses sermons étaient un peu plus intéressants, je n'écrirais pas dans mon journal.

12 h 00 – 14 h 00
Déjeuner avec le directeur de l'opéra de Genovia et la première mezzo-soprano de l'Académie de musique

Moi qui pensais être difficile sur la nourriture, je me suis rendu compte que les mezzo-sopranos sont dix fois plus difficiles que les princesses.

Mon bouton grossit à vue d'œil. Pourtant, je l'ai bien enduit de dentifrice hier soir avant de me coucher.

15 h 00 – 17 h 00
Réunion avec l'Association de propriétaires de Genovia

Les propriétaires auraient quand même pu me soutenir dans mon combat pour l'installation de parcmètres. Après tout, c'est devant LEURS maisons que les touristes se garent. Ils auraient pu être contents que les impôts locaux servent à améliorer l'état des trottoirs. Eh bien, non!!!!!!!!!

Franchement, je me demande comment mon père fait toute la journée.

19 h 00 – 22 h 00
Dîner officiel avec l'ambassadeur du Chili et sa femme

Énorme polémique due au fait que René a «emprunté» la Porsche de l'ambassadeur – et sa femme, par la même occasion – pour aller faire un tour après le dessert. On a fini par les retrouver en train de jouer au tennis, sur le terrain du palais.

Sauf qu'ils jouaient au «strip-tennis».

Encore huit jours et je revois Michael. Oh, joie! Oh, ravissement!

Je viens de raccrocher le téléphone. J'étais en ligne avec Michael. Il *fallait* que je l'appelle. Je ne pouvais pas faire autrement. Je devais absolument savoir ce qu'il voulait pour son anniversaire. Je sais bien que c'est de la triche – de DEMANDER à quelqu'un ce qu'il veut –, mais je ne vois pas du tout ce que je peux lui offrir. Évidemment, si j'étais une fille comme Kate Bosworth, je lui aurais déjà donné son cadeau depuis longtemps. Et en plus, je ne me serais pas trompée. Je lui aurais offert un bracelet, par exemple, que j'aurais tissé moi-même avec des algues.

Mais je ne suis pas Kate Bosworth. Je ne sais même pas tisser. AU SECOURS!!!!! DIRE QUE JE NE SAIS MÊME PAS TISSER!!!!!!!

Il faut que je lui trouve quelque chose de *vraiment* bien, puisque je n'y ai même pas pensé. À son anniversaire, je veux dire. Quelque chose de tellement fabuleux qu'il oubliera que je ne suis pas une Kate Bosworth qui sait faire du surf, tisser, qui s'autoréalise et qui n'a pas de boutons, mais une élève de seconde sans talent, qui se ronge les ongles et est née par hasard princesse.

Bien entendu, Michael m'a dit qu'il ne voulait rien, sauf moi (si seulement je pouvais le croire!!!!!)

et que me revoir dans huit jours était le plus beau cadeau qu'on puisse lui faire.

Apparemment, il doit m'aimer d'amour et non d'amitié pour me dire ça. Je vais quand même demander à Tina ce qu'elle en pense, quoique, personnellement, j'aurais tendance à pencher pour le OUI!!!!!!

En tout cas, ça m'a donné une raison d'appeler Michael. Je ne lui ai pas seulement téléphoné pour entendre le son de sa voix. Je ne suis tout de même pas tombée aussi bas.

Bon, d'accord, ce n'est pas tout à fait vrai. Mais qu'est-ce que je peux y faire? J'aime Michael depuis… toujours. J'aime la façon dont il prononce mon nom. J'aime la façon dont il rit. J'aime quand il me demande mon avis, comme s'il se souciait vraiment de ce que je pense (ce qui n'est pas exactement le cas ici. Dès que je suggère quelque chose – par exemple, couper la fontaine devant le palais la nuit pour faire des économies d'eau, dans la mesure où il n'y a personne pour l'admirer – tout le monde se comporte comme si l'une des armures du grand hall s'était mise à parler).

J'admets que mon père n'est pas comme ça. Mais je le vois tellement peu quand je suis ici… Il faut dire qu'il est assez occupé entre ses sessions parlementaires, ses régates et sa nouvelle petite amie tchèque.

Pour en revenir à Michael, la vérité, c'est que j'aime lui parler. Où est le mal? C'est quand même *mon*

petit ami! Si seulement j'étais digne de lui! Quand on pense que j'ai oublié son anniversaire, que je ne suis même pas capable d'avoir une idée de cadeau et que comparée à lui, je ne suis pas bonne à grand-chose, c'est un miracle qu'il s'intéresse à moi!

Bref, on se disait au revoir, après avoir eu une longue conversation sur l'Association des producteurs d'huile d'olive de Genovia, puis sur le groupe de rock que Michael veut monter (il est tellement doué!), et je me demandais si j'allais avoir le cran de lui dire : «Tu me manques» ou «Je t'aime» de façon à lui laisser la possibilité de me répondre quelque chose de similaire, histoire de résoudre une bonne fois pour toutes le dilemme : est-ce-qu'il-m'aime-bien ou est-ce-qu'il-est-amoureux-de-moi, quand j'ai entendu la voix de Lilly.

Apparemment, elle voulait me parler.

«Sors d'ici, a lâché Michael, mais Lilly a insisté.

— Passe-la-moi! a-t-elle hurlé. J'ai quelque chose d'hyper important à lui dire.

— Tu n'as pas intérêt à lui en souffler mot», a menacé Michael.

Mon cœur s'est alors brusquement serré. À tous les coups, Lilly allait m'annoncer que son frère sortait en cachette avec une certaine Anne-Marie. Mais avant que j'aie le temps de dire quoi que ce soit, Lilly a arraché le téléphone des mains de son frère (qui a poussé un hurlement – de douleur, je suppose –,

Lilly lui ayant sans doute donné un coup de pied) et elle a dit :

« Est-ce que tu l'as vu ?

— Lilly, ai-je commencé – car même si j'étais à treize mille kilomètres, je sentais que Michael souffrait –, je sais que tu as l'habitude de m'avoir pour toi toute seule, mais il va falloir que tu apprennes à partager. S'il faut pour cela fixer des limites à notre relation, je n'hésiterai pas. Tu ne peux pas continuer à arracher le téléphone des mains de Michael quand il a peut-être quelque chose de très important à...

— La ferme, avec mon frère ! m'a coupée Lilly. Dis-moi plutôt si tu l'as vu.

— De quoi parles-tu ? »

Est-ce que quelqu'un avait encore essayé d'entrer dans la cage de l'ours polaire du zoo de Central Park ? Comme si ces malheureuses bêtes n'avaient pas déjà suffisamment de problèmes avec le stress dû au fait de vivre à Manhattan et non sur un iceberg. Non seulement on les exposait à la vue de tous vingt-quatre heures sur vingt-quatre, sept jours sur sept, mais il fallait en plus que des détraqués plongent dans leur bassin.

Vous savez quoi ? Je comprends tout à fait qu'ils aient arraché les deux bras du dernier type qui a essayé.

« Du film ! Qui raconte ta vie ! a répondu Lilly. Celui qu'ils ont passé à la télé hier soir. Tu es au courant qu'on a tourné un film qui retrace l'histoire de ta vie ? »

Oui, j'étais au courant. On m'avait prévenue qu'un téléfilm sur moi était en préparation. Mais le service de presse du Palais m'avait assuré qu'il ne serait pas diffusé avant février.

Après tout, quelle importance? Quatre biographies non autorisées étaient déjà sorties. L'une d'elles avait même été en tête des listes des meilleures ventes pendant un quart de seconde. Je l'avais lue et je ne l'avais pas trouvée si mal que ça. Mais peut-être parce que je connaissais la fin.

«Et alors?» ai-je dit, assez en colère contre Lilly.

Quand je pense qu'elle avait arraché le téléphone des mains de Michael pour me parler de ce stupide film.

«Hé ho, a fait Lilly. C'est un film! Sur toi! Où on te présente comme une fille timide et maladroite.

— Mais je *suis* timide et maladroite, ai-je rappelé.

— Quant à ta grand-mère, ils en font une femme d'une grande bonté qui te soutient pendant ces heures difficiles, a continué Lilly. C'est l'interprétation la plus grossière que j'aie jamais vue depuis que *Shakespeare in Love* a essayé de faire passer le chantre d'Avon pour un type sexy qui boit de la bière par pack de six et a des dents nickel.

— Oui, c'est affreux, ai-je concédé. Est-ce que je peux finir ma conversation avec Michael, maintenant?

— Tu ne me demandes pas comment ils m'ont décrite, moi, ton amie la plus loyale ? s'est écriée Lilly d'un ton accusateur.

— Comment t'ont-ils décrite ? » ai-je demandé en jetant un coup d'œil à la somptueuse pendule sur la somptueuse plaque de marbre au-dessus de la somptueuse cheminée de ma chambre à coucher. « Et fais vite, s'il te plaît, ai-je ajouté, parce que j'ai un petit déjeuner et une balade à cheval avec la Société équestre de Genovia dans exactement sept heures.

— Ils ont dit que je n'avais jamais soutenu Son Altesse royale ! a-t-elle pratiquement hurlé à l'autre bout du fil. Qu'à ta sortie de chez ce stupide coiffeur, je me suis moquée de toi et je t'ai traitée de *fashion victim* superficielle !

— Hum hum », ai-je fait en attendant qu'elle en vienne au fait, parce que, d'après mes souvenirs, elle ne m'avait pas vraiment soutenue quand j'étais sortie de chez Paolo ou quand j'avais appris que j'étais princesse.

Le problème, c'est qu'elle en était déjà venue au fait.

« Je ne t'ai pas soutenue ! a-t-elle hurlé à nouveau, si fort cette fois que j'ai dû écarter le combiné de mon oreille. Je suis celle qui t'a le plus soutenue parmi toutes tes amies ! »

C'était tellement faux que j'ai pensé que Lilly plaisantait et je me suis mise à rire. Mais quand je me suis aperçue que mon rire était accueilli par un silence glacial, j'ai compris qu'elle ne plaisantait pas. Apparemment, elle faisait partie de ces gens qui ont une mémoire sélective et ne se rappellent que leurs bonnes actions et jamais les mauvaises. Un peu comme les politiciens.

Si Lilly m'avait vraiment soutenue, comme elle le disait, je n'aurais jamais fait la connaissance de Tina Hakim Baba, avec qui je me suis mise à déjeuner seulement parce que Lilly avait décrété qu'elle ne m'adresserait plus jamais la parole sous prétexte que j'étais princesse.

«J'espère sincèrement que tu ris parce que tu trouves qu'ils sont gonflés de laisser entendre que je ne t'ai pas toujours été loyale, Mia, a repris Lilly. Je sais bien qu'on a connu des hauts et des bas, mais chaque fois que j'ai été un peu dure avec toi, sache que c'était pour ton bien.

— Oui, évidemment, ai-je répondu.

— J'ai décidé d'envoyer une lettre à la chaîne et d'exiger des excuses écrites. S'ils refusent et s'ils ne les publient pas en pleine page dans *Variety*, je leur intente un procès. Tant pis si je dois passer devant la Cour suprême. Ces types de Hollywood pensent qu'ils peuvent raconter n'importe quoi devant la caméra et que les téléspectateurs vont gober tout ce qu'ils disent. C'est peut-être vrai de la plupart des personnes ordinaires, mais moi, je monterai au créneau pour obtenir des portraits honnêtes des gens et des événements. Je ne me laisserai pas abattre par l'homme!»

Quand j'ai demandé à Lilly de quel homme elle parlait, pensant qu'il s'agissait du directeur de la chaîne ou du réalisateur, elle a répondu : « L'homme ! L'homme ! », comme si j'étais demeurée.

Lorsque Michael a repris le téléphone, il m'a expliqué que l'« homme » était une allusion métaphorique à l'« autorité ». De la même façon que les psychanalystes freudiens rejettent systématiquement la faute sur la « mère », les musiciens de blues ont de tout temps rendu l'« homme » responsable de leurs souffrances. Traditionnellement, a poursuivi Michael, l'« homme » est blanc, il a réussi financièrement parlant, il a une quarantaine d'années et occupe une position de pouvoir.

On s'est demandé, Michael et moi, si « L'homme » n'était pas un bon nom pour son groupe de rock, et puis finalement, on a décidé que non car cela pouvait avoir des sous-entendus misogynes.

Encore sept jours avant de me retrouver dans les bras de Michael. Oh, que ne donnerais-je pour que les heures volent aussi légères que des colombes ailées !

Je viens juste de me rendre compte que le portrait de l'« homme » d'après Michael ressemblait énormément à mon père ! Sauf que ça m'étonnerait que les musiciens de blues parlent du prince de Genovia. En plus, je n'ai pas le souvenir que mon père soit allé à Memphis.

D'après l'agenda royal de la princesse
Amelia Mignonette Thermopolis Renaldo

Lundi 12 janvier

20 h 00 – minuit
Concert de l'orchestre symphonique de Genovia

Pile au moment où je commençais à me dire que la vie allait peut-être enfin – j'ai bien dit peut-être – me sourire, il a fallu que quelque chose vienne tout gâcher.

Et comme d'habitude, Grand-Mère en est responsable.

J'étais à nouveau tellement endormie aujourd'hui qu'elle a deviné que j'avais passé une partie de la nuit au téléphone avec Michael. Résultat, ce matin, entre ma balade à cheval avec la Société équestre et mon rendez-vous avec la Société pour le développement du front de mer de Genovia, elle m'a fait tout un sermon. Non pas sur les cadeaux qu'une jeune fille bien élevée est autorisée à offrir à un garçon pour son anniversaire. Mais sur les choix à faire ou à ne pas faire dans la vie.

«Que tu apprécies *ce garçon,* Amelia, cela te regarde, a-t-elle déclaré.

— Un peu que ça me regarde! me suis-je exclamée avec indignation. Tu as toujours refusé de le rencontrer! De toute façon, que sais-tu de Michael? Rien!»

Grand-Mère m'a fusillée du regard.

« Néanmoins, a-t-elle poursuivi, je ne pense pas que cela soit très raisonnable de laisser ton affection pour lui t'empêcher de voir qu'autour de toi d'autres prétendants seraient beaucoup plus convenables, comme le… »

Je l'ai interrompue pour lui dire que, si elle pensait au prince William, je me jetais du pont des Vierges.

Grand-Mère m'a répondu de ne pas être plus ridicule que je ne l'étais déjà et m'a rappelé que je ne pourrais jamais épouser le prince William vu qu'il appartenait à l'Église anglicane. Mais apparemment, il devait y avoir d'autres jeunes hommes infiniment plus romantiques que Michael et tellement plus dignes de la princesse de la maison Renaldo. Grand-Mère m'a expliqué qu'elle serait désolée si je passais à côté de l'un d'eux tout simplement parce que je m'étais entichée de Michael. Elle m'a même assuré que, dans le cas inverse, si Michael était à la tête d'une principauté et d'une immense fortune, elle était quasi sûre qu'il ne m'aurait pas été aussi scrupuleusement fidèle.

Je me suis élevée contre ce procès d'intention, et je lui ai fait remarquer que, si elle s'était donné la peine de connaître Michael, elle se serait rendu compte que dans toutes les sphères de sa vie, que ce soit en tant que rédacteur en chef de son ex-magazine en ligne *Le*

Cerveau ou en tant que trésorier du club informatique, Michael avait toujours fait preuve d'une grande loyauté et intégrité. Je lui ai aussi expliqué, le plus calmement possible, que ça me blessait de l'entendre critiquer l'homme que j'aimais et à qui j'avais donné mon cœur.

«C'est bien ça, le problème, Amelia! s'est exclamée Grand-Mère en levant les yeux au ciel. Tu es bien trop jeune pour t'engager auprès d'un garçon. Penses-tu qu'il est sage de décider, à quatorze ans, avec qui tu vas passer le restant de ta vie? À moins, bien entendu, qu'il ne s'agisse d'une personne tout à fait exceptionnelle. Une personne que ton père et moi-même connaîtrions. *Très, très bien.* Une personne qui, si elle peut paraître *légèrement* immature, aurait probablement besoin de rencontrer la femme qui lui convient pour se poser. Les filles mûrissent bien plus vite que les garçons, Amelia, et…»

Je l'ai interrompue à nouveau pour lui rappeler que j'aurais quinze ans dans quatre mois et que Juliette avait quatorze ans lorsqu'elle avait épousé Roméo. Ce à quoi elle a répondu par :

«C'est vrai que leur histoire s'est bien terminée!»

Manifestement, Grand-Mère n'a jamais été amoureuse. Elle n'a aucun goût non plus pour la tragédie romantique.

Comme je trouvais que ce n'était pas très sympa de sa part de laisser entendre qu'après avoir eu un petit ami pendant vingt-cinq jours seulement, durant lesquels je lui avais parlé exactement trois fois, je risquais déjà de le perdre pour une fille aux yeux vairons, je le lui ai fait remarquer.

« Je suis désolée, Amelia, a-t-elle dit. Mais si tu tiens vraiment à ce garçon et que tu veuilles le garder, tu ne fais pas du tout ce que tu devrais faire, à mon avis. »

Je ne sais pas ce qui m'a pris à ce moment-là. C'était comme si la pression qui s'accumulait depuis un moment – entre l'histoire des parcmètres, Michael qui me manquait, ma mère et Fat Louie qui me manquaient aussi, ce que j'allais dire au prince William plus mon bouton au menton –, m'était brusquement devenue insupportable.

« Évidemment que je tiens à lui et que je veux le garder ! ai-je hurlé. Mais comment veux-tu que je fasse étant donné que je ne suis qu'une mutante qui ne s'autoréalise pas, qui n'a ni talent ni poitrine et qui n'a rien à voir avec une Kate Bosworth ? »

Grand-Mère a paru plutôt surprise par mon éclat. On aurait dit qu'elle ne savait pas très bien à quoi répondre en premier : au fait que je n'ai pas de talent ou pas de poitrine. Au bout du compte, elle s'en est sortie en disant :

«Eh bien, tu pourrais commencer en ne restant pas des heures au téléphone avec lui. Tu ne lui donnes pas beaucoup de raisons de douter de ton affection.

— Bien sûr que non, ai-je répliqué, horrifiée. Pourquoi je ferais ça? Je l'aime!

— Mais tu ne dois pas le lui laisser savoir!» s'est exclamée Grand-Mère. J'ai bien cru qu'elle allait me lancer son cocktail de la matinée, un Sidecar, à la figure. «Es-tu complètement stupide ou quoi? Ne laisse jamais un homme être sûr de ton amour pour lui! Tu as très bien fait en oubliant son anniversaire, mais tu es en train de tout gâcher en l'appelant toutes les cinq minutes. Si *ce garçon* découvre la réalité de tes sentiments, il cessera immédiatement d'être charmant avec toi.»

Je ne comprenais plus rien.

«Mais Grand-Mère, ai-je dit, tu as épousé Grand-Père. Il a donc bien dû se douter que tu l'aimais si tu as accepté de devenir sa femme.

— Ton Grand-Père ne s'est certainement pas douté de mes sentiments à son égard, a déclaré Grand-Mère. J'ai fait en sorte qu'il pense que je l'épousais pour son argent et son titre. Je ne crois pas qu'il soit utile de te rappeler que nous avons connu quarante années de bonheur. Sans jamais faire chambre à part comme certains couples princiers que je ne mentionnerai pas, a-t-elle précisé avec malice.

— Une minute! ai-je fait. Tu as dormi dans le même lit que Grand-Père pendant quarante ans sans jamais lui dire une seule fois que tu l'aimais?»

Grand-Mère a fini son cocktail d'un trait et a tapoté doucement la tête de son caniche nain. Depuis que le véto de Genovia a diagnostiqué un trouble obsessionnel-compulsif, Rommel a vu ses poils recommencer à pousser grâce au cône en plastique qu'il porte autour de la tête. Il a le corps couvert d'un fin duvet blanc, maintenant, comme les petits poussins. Mais il n'en reste pas moins tout aussi affreux à regarder.

« C'est exactement ce que je suis en train d'essayer de t'expliquer, a répondu Grand-Mère. J'ai forcé ton Grand-Père à rester vigilant et il n'a jamais cessé de m'aimer. Si tu veux garder ton Michael, je te conseille de faire la même chose. Arrête de l'appeler tous les soirs. Arrête de ne pas regarder les autres garçons. Et arrête de te ronger les sangs pour savoir ce que tu vas lui offrir pour son anniversaire. C'est *lui* qui devrait se demander quel cadeau te faire pour te garder, et non l'inverse.

— Mais Grand-Mère, mon anniversaire n'est pas avant mai!» me suis-je exclamée.

Je ne voulais pas lui dire que je savais déjà ce que j'allais offrir à Michael, parce que c'était quelque chose que je devais d'abord sortir du musée du palais.

En même temps, comme personne ne s'en servait, je ne vois pas pourquoi je ne pouvais pas le prendre.

Je suis la princesse de Genovia, après tout! Tout ce qui se trouve dans ce musée m'appartient. Ou du moins appartient à ma famille.

«Qui a dit qu'un homme ne devait offrir des cadeaux à une femme que pour son anniversaire? a repris Grand-Mère en me regardant comme si elle avait en face d'elle un spécimen n'appartenant pas au genre *Homo sapiens*. Elle a levé la main pour me montrer son bracelet serti de diamants aussi gros qu'une pièce d'un euro.

«Ton Grand-Père me l'a offert le 5 mars 1967, a-t-elle annoncé. Pourquoi le 5 mars? Ce n'est ni mon anniversaire ni aucune fête d'aucune sorte. Ton Grand-Père me l'a offert ce jour-là parce qu'il trouvait que ce bracelet, tout comme moi-même, était une chose merveilleuse.» Elle a baissé la main et l'a reposée sur la tête de Rommel avant d'ajouter : «C'est ainsi, Amelia, qu'un homme doit traiter une femme.»

Tout ce à quoi je pensais à ce moment-là, c'était : «Pauvre Grand-Père.» Comment aurait-il pu deviner dans quoi il allait se fourrer? Grand-Mère devait être aussi innocente qu'un agneau quand elle était jeune, c'est-à-dire avant de se faire tatouer son trait d'eye-liner et de s'épiler les sourcils. Je suis même quasiment sûre que Grand-Père a eu le coup de foudre pour elle quand il l'a vue pour la première fois, de l'autre côté de la piste de danse. S'il avait su ce qui l'attendait…

Des années de subtils traits d'esprit et de Sidecar à servir.

«Je ne suis pas comme ça, Grand-Mère, ai-je déclaré. D'abord, je ne tiens pas à ce que Michael m'offre des diamants. Je veux juste qu'il m'invite au bal du lycée.

— Eh bien, il n'en fera rien s'il ne sait pas que d'autres garçons te l'ont peut-être proposé.

— Jamais je n'irai au bal du lycée avec un autre garçon que Michael!» me suis-je écriée, choquée, même si je sais bien que c'est peu probable – qu'un autre garçon me demande de l'accompagner au bal.

«Mais tu ne dois jamais le lui faire savoir, Amelia, a repris Grand-Mère d'un ton sévère. Il ne doit pas cesser de douter de tes sentiments, être toujours vigilant. Les hommes aiment chasser, et une fois la proie attrapée, ils ont tendance à s'en désintéresser. Tiens, j'ai quelque chose pour toi qui va te permettre de comprendre.»

Et de son sac Gucci, elle a sorti un livre. J'ai regardé la couverture.

«*Jane Eyre*? me suis-je exclamée. Grand-Mère, excuse-moi, mais j'ai vu le film et, sans vouloir te vexer, j'ai trouvé ça assez rasant.

— Le film! a fait Grand-Mère avec une moue de dédain. Lis ce livre, Amelia, et nous verrons bien s'il ne t'apprend pas une chose ou deux sur les relations entre les hommes et les femmes.

— Grand-Mère, ai-je insisté en me demandant comment lui faire passer le message qu'elle n'était plus dans le coup. Les gens qui veulent comprendre les relations entre les hommes et les femmes lisent aujourd'hui *Les hommes viennent de Mars, les femmes de Vénus.*

— *Lis-le!*» a-t-elle hurlé, si fort que Rommel a bondi de ses genoux pour se cacher derrière un pot de géraniums.

Je le jure. Je ne sais pas ce que j'ai fait pour mériter une grand-mère comme la mienne. Celle de Lilly est en adoration devant Boris Pelkowski, le petit ami de Lilly. Elle lui envoie tout le temps des petits pâtés de viande ou d'autres spécialités yiddish dans des Tupperware. Pourquoi faut-il que ma grand-mère à moi essaie déjà de me faire rompre avec un garçon avec qui je ne sors que depuis vingt-cinq jours?

Encore sept jours, six heures et quarante-deux minutes avant de revoir Michael.

*D'après l'agenda royal de la princesse
Amelia Mignonette Thermopolis Renaldo*

Mardi 13 janvier

8 h 00 – 10 h 00
Petit déjeuner avec les membres de la Shakespeare Company de Genovia

Qu'est-ce que ça peut être ennuyeux, *Jane Eyre*! Jusqu'à présent, ça ne parle que d'orphelinat, de coupes de cheveux massacrées et de quintes de toux.

10 h 00 – 16 h 00
Session parlementaire

Jane Eyre commence à être un peu plus intéressant. Elle s'est trouvé un poste de gouvernante dans la maison d'un certain Mr. Rochester, un homme très riche. Mr. Rochester est très autoritaire, un peu comme Wolverine ou Michael.

17 h 00 – 19 h 00
Thé avec Grand-Mère et la femme du Premier ministre anglais

Finalement, Mr. Rochester est assez sexy. Je vais le mettre sur ma liste des Hommes les plus sexy, entre Hugh Jackman et l'acteur bosniaque qui joue dans *Urgences*.

20 h 00 – 22 h 00
Dîner officiel avec le Premier ministre anglais et sa famille

Quelle idiote, cette Jane Eyre! Ce n'était pas la faute de Mr. Rochester! Pourquoi est-elle si méchante avec lui? Quant à Grand-Mère, elle est gonflée de hurler sous prétexte que je lis à table. Elle n'avait qu'à pas me le donner, ce livre!

Six jours, onze heures et vingt-neuf minutes avant de revoir Michael.

Mercredi 14 janvier, 3 heures du matin
Dans mes appartements privés du palais

Bon. Je crois que j'ai compris où Grand-Mère voulait en venir en me faisant lire *Jane Eyre*. Mais franchement, tout le passage où Mrs. Fairfax fait promettre à Jane de ne pas être trop intime avec Mr. Rochester avant le mariage, c'est parce qu'on ne connaissait pas le planning familial, à cette époque.

Cela dit – et il va peut-être falloir que je consulte Lilly sur ce point –, je suis pratiquement sûre que ce n'est pas une bonne chose de calquer son comportement sur celui d'un personnage de fiction, surtout quand le livre a été écrit en 1842.

En même temps, j'adhère complètement à la mise en garde de Mrs. Fairfax, qui est : Ne cours pas après les garçons. Courir après les garçons peut conduire à des choses horribles, comme une maison qui prend feu, une main amputée, la cécité et la bigamie. Il vaut mieux se respecter et ne pas aller trop loin avant le mariage.

Mais qu'est-ce que Michael va penser si je ne l'appelle plus?????? Il va penser que je ne l'aime plus!!!!!!! N'oublions pas que je ne déborde pas vraiment d'atouts au départ. Comme petite amie, je crains. Sans compter que je suis nulle en tout. Je ne me souviens même pas des dates d'anniversaire, et je suis *princesse*.

Voilà sans doute le message que Grand-Mère voulait me faire passer : n'avoue jamais tes sentiments si tu veux t'assurer l'amour éternel d'un garçon.

Je ne sais pas. En même temps, ça a eu l'air de marcher avec Grand-Père. Et ça a marché pour Jane, du moins à la fin. Je pourrais peut-être essayer.

Ça ne va pas être facile. Il est vingt et une heures en Floride en ce moment. Qu'est-ce que peut bien faire Michael ? Il est peut-être allé se balader sur la plage et a rencontré une jolie musicienne sans abri, qui vit là et qui gagne son pain en jouant des airs folk pour les touristes sur sa Stratocaster. Je ne sais même pas jouer au *tennis,* alors d'un instrument de musique… !

Je parie qu'elle porte un truc avec des franges, qu'elle est blonde et qu'elle a une super poitrine, comme Jewel. Aucun garçon ne pourrait continuer sa promenade tout seul s'il croisait une fille comme elle !

Non. Grand-Mère et Mrs. Fairfax ont raison. Il faut que je résiste. Que je me force à ne pas l'appeler. Quand on n'est pas disponible, ça les rend fous, les hommes. La preuve : Jane Eyre.

De là à changer de nom et à m'enfuir pour aller vivre chez un lointain parent comme Jane, c'est peut-être un peu exagéré.

Cinq jours, sept heures et vingt-cinq minutes avant de revoir Michael.

D'après l'agenda royal de la princesse
Amelia Mignonette Thermopolis Renaldo

Mercredi 14 janvier

8 h 00 – 10 h 00
Petit déjeuner avec la Société de médecine de Genovia

Je tiens à peine debout. C'est la dernière fois que je passe la moitié de la nuit à lire de la littérature du XIXᵉ siècle.

10 h 00 – 16 h 00
Session parlementaire
Le ministre des Finances fait de l'obstruction ! Il dit que Genovia doit avoir des parcmètres ou disparaître !

17 h 00 – 19 h 00
Session parlementaire

L'obstruction parlementaire se poursuit. Je sortirais bien pour aller me chercher un Orangina mais j'ai peur de donner l'impression de ne pas m'intéresser à ce qui se dit.

20 h 00 – 22 h 00
Session parlementaire

Je n'en peux plus. Ces obstructions parlementaires sont d'un ennui! Sans compter que René vient de passer la tête par la porte et m'a souri d'un air narquois. Qu'il rie donc. Ça se voit qu'il ne se retrouvera pas un jour à la tête d'un pays.

Jeudi 15 janvier

Grand-Mère a fini par remarquer mon bouton. Et elle a complètement flippé à l'idée que je pourrais rencontrer le prince William avec ça sur le menton. Je lui ai dit que je contrôlais la situation mais, apparemment, Grand-Mère ne croit pas aux vertus antiacnéiques du dentifrice. Elle a fait venir le dermato du palais. Il m'a injecté un produit dans le menton en me disant de ne plus jamais me mettre de dentifrice sur le visage.

Je ne sais même pas soigner les boutons correctement. Comment voulez-vous que je dirige un pays?

À faire avant de quitter Genovia

1. Cacher le cadeau de Michael avant que Grand-Mère ou les dames d'honneur qui doivent m'aider à faire mes bagages ne le trouvent. (Dans mes bottes?)
2. Dire au revoir au personnel des cuisines et les remercier de s'être donné autant de mal pour me préparer des plats végétariens.

3. S'assurer que le capitaine du port a accroché une paire de ciseaux à chaque bouée afin que les plaisanciers qui n'en ont pas puissent ouvrir leur pack de bière.

4. Enlever le nez de clown et les lunettes sur la statue de Grand-Mère, dans la salle des portraits.

5. S'entraîner à la rencontre avec le prince William. S'entraîner aussi pour le discours d'adieu au prince René.

6. Battre le record de glissade en chaussettes dans le couloir de Cristal (6,20 m).

7. Libérer toutes les colombes du palais (si elles veulent revenir au pigeonnier, ça les regarde, mais qu'elles aient au moins le choix.

8. Rappeler à tante Jean-Marie qu'on vit au XXIe siècle et qu'elle n'est plus obligée de supporter les stigmates de la pilosité faciale en lui laissant mon pot de crème dépilatoire.

9. Passer au ministre des Finances les notes que j'ai trouvées sur Internet concernant les fabricants de parcmètres.

10. Récupérer mon sceptre auprès du prince René.

Vendredi 16 janvier, 11 heures
Dans mes appartements privés

Tina a passé toute la journée d'hier à lire *Jane Eyre* (c'est moi qui le lui ai conseillé). Elle est d'accord

qu'il y a peut-être du bon à laisser les garçons nous courir après. Du coup, elle a décidé de ne plus envoyer de mail ou de ne plus téléphoner à Dave (sauf pour lui répondre).

Lilly, elle, refuse de nous suivre, sous prétexte que sa relation avec Boris n'a rien à voir avec les pratiques d'accouplement psycho-sexuel à la mode de nos jours. D'après Tina (je ne peux pas appeler Lilly parce que Michael pourrait décrocher et penser que je le harcèle), Lilly dit que *Jane Eyre* est l'un des premiers manifestes féministes et elle nous encourage vivement à nous en servir comme modèle pour nos relations amoureuses. En même temps, elle m'a prévenue, via Tina, que Michael ne me demanderait certainement pas en mariage avant d'avoir passé sa thèse et commencé à travailler pour une boîte qui le paierait au minimum deux cent mille dollars par an, sans compter les primes annuelles.

La seule fois où elle a vu son frère à cheval, a ajouté Lilly, il n'avait pas l'air très romantique, et ne ressemblait en rien à Mr. Rochester.

J'avoue que j'ai du mal à la croire. Je suis sûre que Michael serait très romantique sur un cheval.

Tina m'a dit que Lilly n'avait toujours pas digéré le téléfilm sur ma vie. Elle l'a vu, elle aussi, et elle trouve que Lilly exagère. Ce n'est pas si mauvais que ça. Il paraît que l'actrice qui joue la principale Gupta est hilarante.

Mais Tina n'apparaît pas dans le film. Dès que son père en a entendu parler, il a menacé les producteurs de les poursuivre en justice s'ils mentionnaient le nom de sa fille. Mr. Hakim Baba a peur que Tina se fasse kidnapper par un autre magnat du pétrole, un rival. Tina m'a confié que ça ne la gênerait pas si le magnat du pétrole en question était mignon, prêt à s'engager dans une relation à long terme, et qu'il lui offrait pour la Saint-Valentin un pendentif en forme de cœur avec un petit diamant au milieu, comme ceux qu'on vend chez Kay Jewelers.

Il paraît aussi que l'actrice qui joue le rôle de Lana Weinberger est géniale et mériterait de recevoir un Emmy award. D'après Tina, Lana n'a pas dû apprécier d'être décrite comme une fille jalouse, qui rêve d'être princesse. Quant à l'acteur qui incarne Josh, Tina m'a dit qu'il était supermignon. Elle essaie de trouver son adresse e-mail.

Sinon, on s'est juré, Tina et moi, que chaque fois qu'on aura envie d'appeler son petit copain, on se téléphonerait toutes les deux à la place. Le problème, c'est que je n'ai pas de portable et que Tina ne pourra pas me joindre si je suis en train d'adouber quelqu'un, par exemple. Dès demain, il faut que je demande un Motorola à mon père. Hé ho, je suis l'héritière du trône de tout un pays. Je pourrais au moins avoir un beeper, non ?

Quatre jours, douze heures et cinq minutes avant de revoir Michael.

Samedi 17 janvier
Pendant le match de polo

Existe-t-il un sport plus ennuyeux que le polo ? À part le golf ? Ça m'étonnerait.

En plus, je ne pense pas que ce soit très bon pour les chevaux quand on balance des maillets si près de leurs têtes. C'est comme Silver, le cheval du Ranger solitaire. Le Ranger solitaire n'arrête pas de tirer des coups de feu près de l'oreille de Silver. Pas étonnant que la pauvre bête recule tout le temps.

Et René, qu'est-ce qu'il a avec le prince William ? Pourquoi il se met toujours devant lui pour lui piquer la balle chaque fois que le pauvre a une chance de la toucher ? En plus, ils sont dans la même équipe !

Je suis prête à parier qu'en cas de victoire, si René retire son tee-shirt, ce sera pour impressionner la horde de filles venues pour le prince William. Ce qui se comprend. En revanche, ce que René ne doit pas comprendre, c'est le succès de PW alors qu'il est loin d'avoir ses pectoraux.

Ce serait intéressant de voir la réaction de ces filles si elles étaient au courant pour Enrique Inglesias...

Quatre jours, dix-sept heures et six minutes avant de revoir Michael. En parlant de pectoraux...

Samedi 17 janvier, 11 heures du soir
Dans mes appartements privés

Grand-Mère devrait vraiment s'occuper de ce qui la regarde.

Ce soir, c'était le bal en mon honneur, pour célébrer la fin de ma première visite officielle à Genovia.

Bref, ça fait des semaines que Grand-Mère me bassinait avec ce bal, comme quoi ce serait ma dernière chance de me faire pardonner cette histoire de parcmètres. Sans parler de ce que je devais ou ne devais pas dire au prince William. Je suis sûre que c'est à cause de ça que j'ai eu un bouton, même s'il a disparu grâce au miracle de la dermatologie moderne. Ça, et son insistance à me faire comprendre que Michael n'avait rien d'un éventuel prince consort. Entre la pression qu'elle me met et l'angoisse que j'ai à l'idée que mon petit ami, en ce moment même, soit en train de prendre des leçons de surf avec une fille qui n'a pas d'acné et qui serait le sosie de Kate Bosworth, je n'en reviens pas que ma peau ne ressemble pas à celle du type qui est enfermé au sous-sol, dans *Les Goonies*.

Mais bon. Grand-Mère m'a fait tout un foin à cause de mes cheveux (qui, en repoussant, ont retrouvé leur forme de panneau de la circulation. Et alors? Les garçons préfèrent les filles aux cheveux longs – je l'ai lu dans *Cosmo*), à cause de mes ongles (d'accord, malgré la résolution que j'ai prise le 1ᵉʳ janvier, je continue de les ronger) et enfin au sujet de ce que je devrais dire ou pas au prince William.

Résultat, quand je me suis avancée vers PW (qui, je dois l'admettre – bien que mon cœur appartienne toujours à Michael –, était assez séduisant dans son smoking) en m'apprêtant à lui dire : «Enchantée de faire votre connaissance», je ne sais pas ce qui m'a pris. Au dernier moment, j'ai oublié qui il était parce qu'il a tourné vers moi des yeux bleus, mais alors très bleus, et je suis restée figée sur place, exactement comme quand Josh Richter m'a souri le jour où je l'ai croisé à la parfumerie. Sérieux. Je n'arrivais plus à me rappeler où j'étais ni ce que je faisais. Je regardais juste ces yeux bleus en pensant : «Incroyable! Ils sont exactement de la couleur de la mer vue de la fenêtre de mes appartements privés.»

Le prince William m'a dit : «Je suis ravi de faire votre connaissance», et il m'a serré la main, et moi, je continuais de le regarder, même si je ne suis pas amoureuse de lui PUISQUE JE SUIS AMOUREUSE DE MICHAEL.

Mais sans doute qu'on ne peut pas réagir autrement en face de lui, à cause de son charisme. Un peu comme Bill Clinton, quoique, lui, je ne l'aie jamais rencontré. Je l'ai juste lu dans la presse.

Enfin. Voilà en gros l'étendue de mon échange avec le prince William d'Angleterre! Après m'avoir saluée, il s'est détourné pour répondre à quelqu'un qui lui parlait de courses de pur-sang, et moi, je me suis écriée : «Super, des champignons farcis!», histoire de masquer ma gêne, et je me suis élancée à la poursuite du domestique qui en offrait aux invités.

Inutile de dire que je n'ai pas son adresse e-mail. Il va falloir que Tina apprenne à vivre avec ses désillusions.

Mais la soirée ne s'est pas terminée là. Oh non! Je ne savais pas alors que ce que je venais de vivre n'était rien – mais alors rien du tout – comparé à ce qui m'attendait : pendant toute la durée du bal, Grand-Mère n'a pas cessé de me pousser dans les bras du prince René, de sorte qu'on s'est retrouvés à danser tous les deux devant le journaliste de *Newsweek* qui est venu à Genovia pour faire un reportage sur le passage à l'euro. Elle m'a JURÉ que c'était la seule raison : faire des photos.

Mais tandis qu'on dansait la valse... Je danse très mal. Quand je valse, je dois regarder mes pieds et compter dans ma tête pour ne pas me tromper. Sinon, je sais danser le slow, évidemment, mais comme par hasard, ce n'est pas une danse très pratiquée à Genovia, du moins dans l'enceinte du palais. Pendant qu'on dansait, donc, j'ai vu que Grand-Mère ne nous quittait pas des yeux et nous montrait aux personnes autour d'elle. Et je vais vous dire : ce n'est pas la peine de savoir lire sur les lèvres pour comprendre qu'elle leur disait : «Ne forment-ils pas un joli couple?»

QUOI???

Dès que l'orchestre s'est arrêté de jouer, je suis allée la voir et je lui ai dit, au cas où elle se monterait la tête :

«Grand-Mère, je veux bien me calmer et moins appeler Michael, mais ça ne signifie pas pour autant que je vais sortir avec le prince René.»

À ce propos, il m'a demandé si je voulais aller faire un tour sur la terrasse pour fumer une cigarette. Je lui ai répondu que je ne fumais pas et qu'il ferait mieux de ne pas fumer non plus, sachant que le tabac cause la mort de cinq cent mille personnes par an, aux États-Unis, mais il m'a ri au nez, comme James Spader dans *Pretty in Pink*.

Ensuite, je lui ai conseillé de ne pas se faire d'idées parce que j'avais déjà un petit ami. Et s'il avait vu le film sur ma vie, il saurait comment je traite les garçons qui ne s'intéressent à moi que pour mes bijoux et ma couronne.

Le prince René m'a répondu que j'étais adorable. Alors que je le priais de ne pas me faire le coup à la Enrique Inglesias, mon père est arrivé et m'a demandé si j'avais vu le Premier ministre grec. Quand je lui ai dit : «Papa, j'ai l'impression que Grand-Mère essaie de me caser avec René», il a serré les dents et a pris

Grand-Mère à part pour lui parler pendant que le prince René filait draguer l'une des sœurs Hilton.

Grand-Mère est venue me trouver après et m'a dit que j'étais ridicule. Elle voulait juste que je danse avec le prince René parce que ça faisait une jolie photo pour *Newsweek*. Et si le magazine publiait en plus un petit article sur nous, ça attirerait les touristes.

J'ai rétorqué qu'un afflux de touristes était exactement ce qu'il fallait éviter, étant donné l'infrastructure vacillante de notre pays.

Si mon palais avait été racheté par un fabricant de chaussures, je serais assez désespérée, mais pas au point de faire des avances à une fille qui doit veiller au bien-être de tout un peuple, et qui a déjà un petit ami, de toute façon.

Cela dit, si *Newsweek* publie la photo, peut-être que Michael sera jaloux de René, comme Mr. Rochester avec Saint-John!!!!!!!

Deux jours, huit heures et dix minutes avant de revoir Michael.

JE N'EN PEUX PLUS!!!!!!!!!!!!!!!

Lundi 19 janvier, 3 heures de l'après-midi

Dans le jet privé de Genovia à plus de dix mille mètres d'altitude

Je n'arrive pas à croire :

a) que mon père soit resté à Genovia pour régler la crise des parcmètres au lieu de retourner à New York avec moi ;

b) qu'il ait cru Grand-Mère quand elle lui a dit que, compte tenu de ma piètre prestation à Genovia, je devais continuer à prendre des leçons de princesse ;

c) qu'elle (sans parler de Rommel) m'accompagne à New York. CE N'EST PAS JUSTE. J'ai respecté ma part du contrat. Je n'ai pas manqué une seule leçon de princesse, j'ai eu la moyenne en maths, j'ai fait mon discours devant le peuple de Genovia.

Grand-Mère dit que, contrairement à ce que je pense, je dois encore apprendre des tas de choses avant de pouvoir gouverner mon pays. Est-ce qu'elle croit vraiment que je suis dupe ? Je sais très bien pourquoi elle m'accompagne : pour continuer à me torturer. C'est son hobby en ce moment. En fait, elle est naturellement douée pour ça. Peut-être même que c'est inné chez elle.

Elle a la chance de m'avoir. Mais ce n'est quand même pas juste.

Avant de partir, mon père m'a donné cent euros. Il a promis de me dédommager d'une façon ou d'une autre si je faisais en sorte que ça se passe bien avec Grand-Mère.

Mais rien ne pourrait me dédommager de *ça*. Rien.

I

Bonnes manières

De l'importance des bonnes manières
par Clarisse Renaldo, Princesse douairière de Genovia

Ayant passé pas mal de temps en Amérique, je peux témoigner de l'absence consternante de bonnes manières qui caractérise ce pays. Les chauffeurs de taxi klaxonnent sans la moindre utilité, les serveurs se montrent grossiers lorsque vous renvoyez pour la quatrième fois votre cocktail à rafraîchir... Même les soi-disant personnalités affichent une insouciance choquante : il leur arrive d'appeler un dîner « souper » et vice versa !

Après tout, les bonnes manières ne concernent pas uniquement la royauté. Elles nous touchent tous ! Ce n'est qu'en apprenant à se traiter les uns les autres avec civilité, qu'on peut espérer une plus grande compréhension mutuelle et un meilleur traitement de la part des serveurs.

Manger comme une princesse

Un dîner officiel

Ça arrivera. Un jour ou l'autre, vous serez conviée à un dîner officiel. Il est donc important que vous vous familiarisiez d'avance avec les ustensiles dont vous devrez vous servir.

Les couverts sont toujours placés de façon à être utilisés en partant de l'extérieur (à gauche de l'assiette) et de l'intérieur (à droite de l'assiette). La première fourchette à saisir est la plus éloignée de l'assiette. C'est l'inverse pour les couteaux alignés de l'autre côté : le plus proche de l'assiette se saisit en premier, et ainsi de suite.

(* C'est à peu près aussi clair qu'une formule d'algèbre! Voici plus simple : choisissez toujours la fourchette ou le couteau les plus à gauche de votre assiette.)

Dresser une table officielle (pour un dîner d'État, une fête de fin d'année, etc.)

Les assiettes sont positionnées de telle sorte que leur motif soit face aux convives ;

Le beurrier individuel, au-dessus des fourchettes, à gauche du marque-place ;

Les verres à vin et le verre à eau, au-dessus des couteaux et cuillers, en ordre décroissant selon leur taille ;

La fourchette à salade, à gauche de la fourchette classique ;

La fourchette à viande, à gauche de la fourchette à salade ;

La fourchette à poisson, à gauche de la fourchette à viande ;

Le couteau à salade, à droite de l'assiette ;

Le couteau à viande, à droite du couteau à salade ;

Le couteau à poisson, à droite du couteau à viande ;

Le couteau à beurre, en diagonale du beurrier individuel, au-dessus du beurre ;

La cuiller à soupe et/ou la cuiller à dessert, à l'extérieur des couteaux ;

La fourchette à huîtres, après les couteaux.

Des serviettes de table.

Compris ? Very well !

Lorsque les convives sont serrés, il est parfois malaisé de savoir à qui appartient le verre à eau, le verre à vin, ou l'assiette à petit pain. Encore une fois, l'orientation de ces objets sur la table évite toute confusion. L'assiette à pain située à votre gauche est à vous. Le verre à vin à votre droite est aussi le vôtre.

Perfect!

(* Qui voudrait manger par erreur le pain de quelqu'un d'autre? Et vous ne souhaitez sûrement pas boire dans un autre verre que le vôtre. Sutout s'il s'agit de celui de Boris Pelkowski dans lequel flottent toujours des débris alimentaires.)

Bien se tenir à table

1. Les choses à faire :

— Attendez que tous les invités soient réunis autour de la table avant de vous asseoir.

— Placez votre serviette sur vos genoux.

— Ne commencez jamais à manger avant que votre hôtesse ait levé sa fourchette.

— Coupez la nourriture en morceaux, selon la méthode européenne ou américaine. En Europe, on opère en tenant le couteau dans la main droite et en maintenant l'aliment avec la fourchette tenue dans la main gauche. Piquez au bout de la fourchette – toujours dans la main gauche, dents en bas – le morceau découpé. En Amérique, on procède de la même façon, excepté qu'une fois le morceau découpé, on place le couteau en haut de l'assiette, on fait passer la fourchette dans la main droite, dents en l'air. Les deux méthodes sont parfaitement admises.

— Mangez en une seule bouchée ce qui est piqué sur la fourchette (veillez à prévoir de petites portions).

— Discrètement, ôtez de votre bouche avec les doigts les graines, os ou noyaux, et déposez-les au bord de votre assiette.

— Pour des aliments tels que les chips, sandwiches ou épis de maïs, utilisez vos doigts. Simplement, essuyez-les à chaque fois avec votre serviette – ne les léchez pas !

— N'oubliez pas de vous excuser si vous ressentez le besoin de quitter la table en cours de repas. Placez votre serviette sur votre chaise.

— Le repas terminé, posez couteau et fourchette côte à côte au centre de votre assiette. Puis, attendez que votre hôtesse se lève avant de l'imiter.

2. Les choses à ne pas faire :

— Ne parlez pas la bouche pleine.

— Ne tenez pas le petit doigt en l'air quand vous levez votre verre.

— Ne coupez pas votre vian-de (ou autre) en petites portions avant de commencer à manger. Fractionnez au fur et à mesure ce que vous allez porter à votre bouche.

— N'engloutissez pas d'énormes bouchées, même s'il s'agit d'un mets délicieux.

(* En particulier, les produits glacés, tels que le sorbet.)

— N'aspirez pas les spaghettis. Les pâtes longues – en quantité réduite – s'enroulent au bout de la fourchette maintenue au creux d'une cuiller ou du rebord de votre assiette.

— Le repas comporte des crudités à tremper dans un bol de sauce collectif? Ne les y replongez surtout pas si vous avez déjà croqué dedans!

Si, lors d'un dîner officiel – ou un simple repas entre amis –, on vous propose un mets qui vous déplaît ou ne convient pas à votre régime, un «non-merci» poli suffit. À moins d'un entretien confidentiel possible avec votre hôtesse, inutile de révéler au monde entier que la tête de veau vous donne envie de vomir ou que vous êtes végétarienne.

(*Si vous êtes végétarienne comme moi, je vous déconseille de jeter sous votre chaise le melon enrobé de jambon de Parme, dans l'espoir que le chien de vos hôtes se jettera dessus. Il y a des chances pour qu'il ne le mange pas non plus. Vous vous retrouvez avec le truc scotché à vos semelles – ça m'est arrivé!)

Quand il m'a dit que c'était juste une vieille dame inoffensive et que je devais profiter d'elle tant que c'était possible, parce qu'un jour elle ne serait plus là, je l'ai regardé comme s'il avait perdu la tête. Il a dû se rendre compte à ce moment de ce qu'il venait de dire car il a aussitôt ajouté : « OK. Je donnerai deux cents dollars par jour à Greenpeace si ça se passe bien. »

C'est le double de ce qu'il verse déjà en mon nom à mon organisation préférée. J'espère sincèrement que les gens de Greenpeace apprécient le sacrifice que je fais pour eux.

Bref, Grand-Mère vient avec moi à New York. Rommel aussi, bien sûr. Elle lui a enfilé un petit manteau. Le pauvre ! Ses poils commençaient à peine à repousser.

J'ai dit à mon père que d'accord, je reprendrais des leçons de princesse pendant les deux prochains trimestres, mais qu'il avait intérêt à être très clair avec Grand-Mère sur une chose : j'ai *déjà* un petit ami. Qu'elle n'essaie pas de me saboter ça ou de me caser avec le prince René. Je me fiche du nombre de titres qu'il a, mon cœur appartient au bel écuyer, Mr. Michael Moscovitz.

Mon père a répondu qu'il verrait ce qu'il pouvait faire. Le problème, c'est que je ne suis pas sûre qu'il m'ait bien écoutée dans la mesure où Miss République tchèque se tenait à côté de lui et tortillait son écharpe d'un air impatient.

En attendant, j'ai prévenu Grand-Mère de se tenir à carreau en ce qui concernait Michael.

«Je ne veux plus t'entendre me dire que je suis trop jeune pour être amoureuse, ai-je déclaré pendant le déjeuner (saumon poché pour Grand-Mère, trois salades de haricots pour moi). Je suis suffisamment grande pour connaître mon cœur, donc suffisamment âgée pour le donner à qui je veux.»

Grand-Mère m'a alors fait remarquer que je pouvais m'attendre à souffrir mais je l'ai ignorée. Ce n'est pas parce que sa vie amoureuse est moins satisfaisante depuis la mort de Grand-Père qu'elle doit se montrer cynique quand il s'agit de la mienne. Voilà où ça la mène de fréquenter des patrons de presse et des dictateurs.

Parce que Michael et moi, on va vivre le grand amour, comme Jane et Mr. Rochester. Ou Jennifer Anniston et Brad Pitt.

Ou du moins, c'est ce qu'on va vivre si on arrive à se voir.

Encore un jour et quatorze heures.

Lundi 19 janvier,
jour anniversaire de Martin Luther King Jr.
À la maison, enfin !

Je suis tellement heureuse, j'ai l'impression que je vais exploser, comme l'aubergine que j'ai lancée un jour de la fenêtre de la chambre de Lilly.

Je suis rentrée!!!!!! Je suis enfin à la maison!!!!!!!

Vous ne pouvez pas imaginer le bonheur que j'ai ressenti en apercevant par le hublot les lumières de Manhattan. De savoir que je survolais ma ville chérie, j'en ai eu les larmes aux yeux. En dessous de moi, des chauffeurs de taxi renversaient des vieilles dames (malheureusement, pas Grand-Mère), des épiciers volaient leurs clients en ne leur rendant pas correctement la monnaie, des banquiers ne ramassaient pas les déjections de leurs chiens et dans toute la ville des gens voyaient leurs rêves de devenir chanteur, acteur, musicien, écrivain ou danseur s'envoler en fumée à cause de producteurs, de réalisateurs, d'agents, d'éditeurs et de chorégraphes sans cœur.

Oui, j'étais de retour à New York, j'étais enfin de retour chez moi.

Lars m'attendait à ma descente d'avion, prêt à prendre la relève de François, mon garde du corps français qui, en plus de me protéger à Genovia, m'a appris plein de gros mots.

Lars est superbronzé. Il a passé un mois au Belize avec Wahim, le garde du corps de Tina. Ils ont fait de la plongée et ont chassé le sanglier. Lars m'a rapporté une petite défense en ivoire, alors que je suis opposée au massacre d'animaux pour le simple plaisir de les massacrer, même les sangliers qui sont pourtant d'une laideur et d'une méchanceté rares.

Enfin. Après une heure d'embouteillages, à cause d'un carambolage sur l'autoroute, j'étais de retour à la maison.

Quel plaisir de retrouver maman! Son ventre commence à s'arrondir, mais je me suis bien gardée de le lui faire remarquer. Ma mère prétend qu'elle ne croit pas aux standards occidentaux de la beauté idéale et qu'il n'y a rien de choquant si une femme fait du 44, par exemple. Mais si je m'étais écriée : «Tu es énorme, maman!», même sous la forme d'un compliment, elle aurait éclaté en sanglots. Après tout, elle n'est qu'au début de sa grossesse.

Du coup, je me suis contentée de dire :

«Ce bébé doit être un garçon. Parce que si c'est une fille, elle va être aussi grande que moi.

— J'espère bien que ce sera une fille, a-t-elle répondu en essuyant les larmes de bonheur qui coulaient le long de ses joues – à moins que ça n'ait été des larmes de douleur parce que Fat Louie lui mordait les chevilles pour qu'elle le laisse s'approcher de moi. Ça ne me gênerait pas d'avoir une seconde Mia pour remplacer la première quand elle n'est pas là. Tu m'as tellement manqué! Il n'y avait personne pour m'empêcher de commander de la soupe aux boulettes de porc chez la Chinoise.

— J'ai essayé pourtant», est intervenu Mr. Gianini.

Lui aussi a l'air en pleine forme. Il se fait pousser le bouc. J'ai fait semblant de trouver ça beau.

J'ai pris ensuite Fat Louie dans mes bras. Il miaulait depuis un moment pour attirer mon attention. Il est possible que je me trompe, mais j'ai l'impression qu'il a maigri pendant mon absence. Je ne voudrais accuser personne de l'avoir laissé mourir de faim exprès, mais j'ai remarqué que son écuelle de croquettes n'était pas complètement remplie. En fait, elle n'était qu'à moitié remplie. Quand c'est moi qui donne à manger à Fat Louie, je remplis toujours son assiette à ras bord. On ne sait jamais : une maladie soudaine pourrait se déclarer et tuer tout le monde à Manhattan à l'exception des chats. Fat Louie est incapable d'attraper ses croquettes tout seul puisqu'il n'a pas de pouce. C'est pour ça que je lui en mets toujours un peu plus, au cas où on mourrait tous et où personne ne serait là pour ouvrir le sac de croquettes.

Sinon, l'appartement est superbe! Mr. Gianini a fait beaucoup de choses pendant mon absence. Il a enlevé le sapin de Noël – c'est la première fois dans l'histoire de la famille Thermopolis qu'un sapin de Noël ne reste pas dans l'appartement jusqu'à Pâques – et a fait installer l'ADSL. Maintenant on peut se connecter sur Internet et envoyer des mails sans occuper la ligne de téléphone.

Ce n'est pas tout. Il a aussi complètement refait la chambre noire, vestige de la «période photo» de ma mère. Il a retiré les planches qui obstruaient la fenêtre et a jeté tous les produits toxiques qui traînaient depuis des années parce qu'on avait trop peur, ma mère et moi, de les toucher. La chambre noire va être la chambre du bébé! Elle est tellement jolie et ensoleillée maintenant! Du moins, elle l'était jusqu'à ce que ma mère se mette à peindre sur les murs des scènes d'une grande portée historique, comme le procès de Julius et Ethel Rosenberg ou l'assassinat de Martin Luther King. Elle veut que le bébé comprenne tout de suite les problèmes de notre pays (Mr. G. m'a assuré en cachette qu'il ferait repeindre la chambre dès que maman serait à la maternité, et qu'elle ne verrait pas la différence une fois que les endomorphines auront agi. Tout ce que je peux dire, c'est que maman a eu du nez, cette fois, de choisir pour se reproduire un homme doté d'autant de bon sens).

Mais la plus belle surprise pour fêter mon retour, c'est ce qui m'attendait sur le répondeur. Maman a appuyé sur le bouton PLAY à la minute même où je franchissais la porte de l'appartement.

C'était un message de Michael!!!!!!! Mon premier message de Michael depuis que je suis sa petite amie!!!!!!!

Ce qui signifie que ça marche. De ne pas l'appeler.

Voilà ce que Michael me dit :

« Euh… Mia? Salut, c'est Michael. Est-ce que tu pourrais… euh… me rappeler quand tu entendras ce message. Comme je n'ai pas de nouvelles depuis quelques jours, je me demandais si tout allait bien. Et je voulais savoir aussi si tu étais bien rentrée. Voilà, quoi. C'est

tout. Eh bien, salut. Au fait, c'est moi, je veux dire Michael. Mais je te l'ai peut-être déjà dit, je ne me souviens pas. Bonjour, Mrs. Thermopolis. Bonjour, Mr. G. Bon, ben… voilà. N'oublie pas de me rappeler, Mia. Salut. »

J'ai sorti la cassette du répondeur pour la ranger dans le tiroir de ma table de nuit avec :

a) quelques grains de riz du sac sur lequel on s'est assis, Michael et moi, le soir du bal du lycée, en souvenir de notre premier slow.

b) un vieux bout du toast que j'ai mangé pendant *The Rocky Horror Show* qu'on a vu, Michael et moi, la première fois qu'on est sortis ensemble, même si ce n'était pas une vraie sortie en amoureux, puisque Kenny était là aussi.

c) un faux flocon de neige du bal du lycée en souvenir de notre premier baiser.

Ce message est mon plus beau cadeau de Noël. C'est même mieux que l'ADSL.

Dès que je suis allée dans ma chambre pour défaire mes valises, je l'ai réécouté sur mon magnétophone. J'ai dû le passer au moins une cinquantaine de fois. Ma mère n'a pas arrêté de venir pour me faire un câlin, savoir si j'avais besoin de quelque chose, si je voulais écouter son nouveau CD de Liz Phair. À sa trentième visite, alors que j'écoutais une fois de plus le message de Michael, elle m'a dit : « Tu ne l'as toujours pas rappelé ?

— Non, ai-je répondu.

— Mais pourquoi?

— Parce que j'essaie d'être comme Jane Eyre.»

Elle a plissé les yeux comme quand elle écoute un débat parlementaire à la télévision sur les bourses que l'État accorde aux artistes.

«Jane Eyre? a-t-elle répété. Tu veux parler du livre?

— Oui, ai-je répondu en retirant de dessous Fat Louie le porte-serviettes napoléonien que le Premier ministre français m'a offert pour Noël. Si tu t'en souviens bien, Jane ne court pas après Mr. Rochester. C'est lui qui court après elle. Eh bien, c'est ce qu'on a décidé de faire, Tina et moi. Se comporter comme Jane.»

À l'inverse de Grand-Mère, maman n'a pas eu l'air enchantée du tout.

«Mais Jane Eyre était dure avec ce pauvre Mr. Rochester!» s'est-elle exclamée.

Je n'ai pas osé lui dire que c'était exactement ce que j'avais pensé aussi… au début.

Du coup, j'ai déclaré fermement :

«Et Bertha enfermée dans le grenier? Tu y as pensé, à Bertha?

— Mais c'est parce qu'elle était folle, a rétorqué ma mère. Les psychotropes n'existaient pas à cette époque. Enfermer Bertha au grenier, c'était faire preuve de bien plus d'humanité que l'envoyer dans un hôpital psychiatrique, où les malades étaient affreusement maltraités, enchaînés aux murs et sans télévision. Franchement, Mia. J'avoue que je ne comprends pas où tu es allée chercher cette idée. Jane Eyre! Qui t'a parlé de Jane Eyre? »

J'ai hésité à répondre parce que je savais qu'elle n'apprécierait pas la réponse.

« Qui ? a-t-elle insisté.

— Grand-Mère », ai-je fini par dire.

Ma mère s'est mordu les lèvres de rage.

« J'aurais dû m'en douter, a-t-elle marmonné. Écoute-moi, Mia. C'est tout à fait louable de ta part et de la part de tes amies de ne pas courir après les garçons, mais si un garçon comme Michael te laisse un gentil message sur le répondeur, avoir la politesse de le rappeler ne veut pas dire que tu lui cours après. »

J'ai pris le temps de réfléchir à ses paroles et je suis arrivée à la conclusion qu'elle avait raison. Ce n'est pas comme si Michael cachait une épouse folle dans le grenier. De toute façon, il n'y a pas de grenier dans l'appartement des Moscovitz.

« Très bien, ai-je dit en posant les vêtements que j'étais en train de ranger. Je vais le rappeler. »

À cette idée, mon cœur s'est mis à battre à tout rompre. Dans une minute – peut-être même moins, si j'arrivais à faire sortir ma mère de ma chambre –, j'allais parler à Michael! Et il n'y aurait pas de parasites sur la ligne comme quand je l'appelais de l'autre côté de l'océan. Parce qu'aucun océan ne nous séparait désormais! Il n'y avait que Washington Square Park entre nous! Et je n'aurais pas à m'inquiéter de savoir s'il ne préférait pas être avec Kate Bosworth plutôt qu'avec moi, Mia Thermopolis, parce qu'il n'y a pas trop de filles à Manhattan qui ont le look Kate Borsworth… et si par hasard il y en a, elles ne sont pas en maillot de bain, du moins en hiver.

«Oui, tu as raison. Le rappeler, ce n'est pas lui courir après», ai-je déclaré.

Ma mère, qui était assise sur mon lit, a juste secoué la tête.

«Franchement, Mia, a-t-elle dit. Tu sais que je n'aime pas contredire ta Grand-Mère – c'était le plus gros mensonge que j'entendais depuis que René m'avait dit que je valsais divinement bien –, mais je ne crois pas que tu devrais jouer à ce genre de petits jeux avec les garçons. En particulier avec un garçon que tu apprécies. Et surtout un garçon comme Michael.

— Maman, si je veux passer le restant de ma vie avec lui, il le faut, lui ai-je expliqué patiemment. Je ne peux tout de même pas lui dire la vérité. S'il découvrait la profondeur de mes sentiments, il se sauverait comme un faon effarouché.

— Un quoi? a demandé ma mère de l'air de quelqu'un qui ne comprend rien à ce qu'on lui raconte.

— Un faon effarouché, ai-je répété. En gros, quand Tina a avoué à son petit ami Dave El-Farouq à quel point elle l'aimait, il a réagi à la David Caruso.

— David Caruso?» a interrogé ma mère.

Elle me faisait vraiment pitié. Comment pouvait-elle ne pas savoir ça?

«Ça veut dire qu'il a disparu pendant très longtemps, ai-je repris. Dave a refait surface quand Tina a réussi à obtenir des places pour un match de hockey sur glace. Et depuis, elle a remarqué qu'il était bizarre avec elle.»

Une fois ma valise vide, je l'ai fermée et posée par terre. Puis je me suis assise sur le lit, à côté de ma mère.

«Maman, ai-je dit doucement, je ne veux pas que ça se passe comme ça avec Michael. Je l'aime plus que tout au monde, après toi et Fat Louie.»

Je lui ai dit «après toi» pour ne pas lui faire de peine. Mais je crois que j'aime Michael plus que ma mère. C'est horrible, mais je ne peux pas m'en empêcher, c'est comme ça.

Mais je n'aimerai jamais personne plus que Fat Louie.

«Tu comprends? ai-je continué. Je ne veux pas gâcher ce que nous vivons, Michael et moi. Il est mon Roméo en jeans.» Même si je ne l'ai jamais vu en jeans, je suis sûre qu'il en a un. On porte un uniforme au bahut, du coup, quand je le vois, il est en pantalon de flanelle, comme tous les autres garçons. «Par ailleurs, ai-je poursuivi, il ne faut pas oublier que Michael peut trouver nettement mieux que moi. Alors, j'ai intérêt à faire très attention.»

Ma mère a cligné des yeux plusieurs fois et a dit:

« Mieux que toi ? Qu'est-ce que tu racontes, Mia ?

— Voyons, maman, tu sais bien que je ne suis pas un canon, comme on dit. Je ne suis pas très jolie, et tu as bien vu combien j'ai dû travailler pour avoir la moyenne en maths ce trimestre. Sans compter qu'il n'y a pas grand-chose où l'on peut considérer que je suis bonne.

— Mia ! s'est écriée ma mère d'un air choqué. Tu dis n'importe quoi ! Tu es bonne dans plein de choses ! Tu sais tout ce qu'il y a à savoir sur l'environnement et sur l'Islande, et tu es toujours au courant du programme télé. »

Je me suis efforcée de sourire. Je ne voulais pas qu'elle se sente responsable de ne pas m'avoir transmis de talents artistiques. Ce n'est pas sa faute, c'est l'ADN.

« Oui, je sais bien, maman, mais ce ne sont pas vraiment des talents. Michael, lui, est beau, intelligent, il joue de plein d'instruments de musique, il compose, bref il est bon en tout. Et à mon avis, ce n'est qu'une question de temps, mais il va se rendre compte qu'il peut trouver une fille superjolie qui sait faire du surf et…

— Le fait que tu aies dû travailler en maths un peu plus que les autres élèves de ta classe ne prouve pas que tu n'as aucun talent, m'a interrompue ma mère. Et je ne vois pas pourquoi Michael te délaisserait pour une fille qui fait du surf. Mais je pense sincèrement que si tu n'as pas vu un garçon depuis un mois et qu'il te laisse un message, la moindre des choses, c'est de le rappeler. Sinon, je peux te garantir qu'il va se sauver. Et pas comme un faon effarouché. »

Je l'ai regardée droit dans les yeux. Elle avait marqué un point. C'est sûr que le stratagème de Grand-Mère – laisser l'homme qu'on aime dans l'incertitude d'être aimé – présente quelques petits inconvénients. Par exemple, l'homme qu'on aime peut penser qu'on ne l'aime pas ; il risque alors de prendre ses distances et de tomber amoureux d'une autre fille qui l'assurera, elle, de son affection. Une fille comme Judith Geshner, la présidente du club informatique, et qui est brillante en plus. Bon d'accord, elle sort déjà avec un garçon de Trinity. Mais c'est peut-être faux, c'est peut-être juste pour ne pas éveiller mes soupçons et pour me faire croire que je n'ai rien à craindre d'une fille qui sait cloner des drosophiles…

« Mia ? a dit ma mère, brusquement inquiète. Tu es sûre que ça va ? »

J'ai essayé de sourire mais je n'y arrivais pas. Comment est-ce qu'on avait pu, Tina et moi, ne pas voir que notre plan clochait à ce niveau-là ? Qui sait si Michael n'était pas en ce moment même au téléphone avec Judith ou avec une autre fille dotée du même QI, et s'il n'avait pas avec elle une discussion sur les quasars, les photons ou n'importe quel autre sujet dont raffolent les gens intelligents. Pire, il était peut-être au téléphone avec Kate Bosworth et ils parlaient tous les deux du mouvement ondulatoire de la houle.

« Maman, ai-je dit en me levant. Est-ce que tu peux sortir ? Il faut que je l'appelle. »

Heureusement, la panique qui me saisissait à la gorge n'était pas audible.

« Oh, Mia, a répondu ma mère d'un air ravi, tu fais très bien. Charlotte Brontë est un grand écrivain, bien entendu, mais n'oublie pas qu'elle a écrit *Jane Eyre* en 1847 et que la vie était différente à cette époque.

— Maman », ai-je répété.

Les parents de Lilly et de Michael ont fixé une règle très stricte : leurs enfants n'ont pas le droit d'être au téléphone en semaine après vingt-trois heures. Et ce sous aucun prétexte. Il était presque vingt-trois heures et ma mère était toujours là et m'empêchait de passer mon coup de fil dans l'intimité.

« Oh ! » a-t-elle fait en souriant. Même enceinte, elle a des allures de jeune fille parfois, avec ses longs cheveux noirs bouclés. Moi évidemment, j'ai hérité des cheveux de mon père – cheveux que je n'ai jamais eu l'occasion de voir, en fait, puisqu'il est chauve depuis que je le connais.

L'ADN, c'est tellement injuste.

Enfin, ma mère est sortie de ma chambre. Qu'est-ce que les femmes enceintes peuvent être lentes ! On aurait pu penser que l'évolution de l'espèce les rendrait plus rapides pour qu'elles puissent échapper à leurs prédateurs, mais apparemment non. Bref, dès qu'elle est partie, je me suis jetée sur le téléphone. Je tremblais presque. J'allais enfin, ENFIN, parler à Michael.

Mais au moment où je posais la main sur le combiné, la sonnerie a retenti. Mon cœur s'est serré comme chaque fois que je vois Michael. C'était lui qui appelait, je le sentais. J'ai décroché à la seconde sonnerie – je ne voulais certainement pas qu'il me plaque pour une fille plus attentionnée, mais je ne voulais pas non plus qu'il pense que je passais mon temps assise près du téléphone à attendre qu'il appelle –, et j'ai dit, le plus gracieusement du monde :

« Allô ? »

La voix de Grand-Mère, enrouée par des années de tabagisme, a empli mon oreille.

« Amelia ? a-t-elle dit. Qu'est-ce qui t'arrive ? Tu as attrapé froid ?

— Grand-Mère ? »

Je n'arrivais pas à y croire. Il était vingt-deux heures cinquante-neuf ! Il me restait exactement une minute pour appeler Michael si je ne voulais pas subir les foudres de ses parents.

« Je ne peux pas te parler pour l'instant. Je dois passer un coup de fil.

— Pfuit ! a fait Grand-Mère d'un ton désapprobateur. Et qui dois-tu appeler à cette heure, hein ? »

Il était vingt-deux heures cinquante-neuf minutes et trente secondes.

« C'est bon, Grand-Mère, ai-je dit. C'est lui qui a appelé en premier. Je le rappelle par pure politesse.

— Il est trop tard pour téléphoner à *ce garçon*»,
a-t-elle déclaré.

Vingt-trois heures. Il était trop tard maintenant.
Grâce à Grand-Mère.

«Tu le verras demain à l'école, de toute façon, a-
t-elle continué. Passe-moi ta mère.

— Maman?» ai-je dit.

Je n'en revenais pas. Grand-Mère n'adresse jamais
la parole à maman si elle peut faire autrement. Elles
ne s'entendent pas très bien depuis que maman a
refusé d'épouser papa quand elle a découvert qu'elle
était enceinte de lui, sous prétexte qu'elle voulait éviter
à son enfant de subir les vicissitudes d'une aristocratie
rétrograde.

«Oui, ta mère, a dit Grand-Mère. Tu as sûrement
entendu parler d'elle.»

Je suis sortie de ma chambre et j'ai passé le téléphone à maman. Elle regardait la télé dans le salon
avec Mr. Gianini. Je ne lui ai pas révélé qui était au
bout du fil parce que sinon, elle m'aurait dit de répondre
à Grand-Mère qu'elle était sous la douche, et je me
serais retrouvée à faire les frais de la conversation.

«Allô?» a-t-elle lancé gaiement en pensant sans
doute que c'était l'une de ses amies. J'en ai profité
pour me sauver. Il y avait plusieurs objets assez lourds
autour du canapé, et ma mère aurait pu les lancer
dans ma direction si je restais dans les parages.

De retour dans ma chambre, j'ai pensé à Michael. Qu'est-ce que j'allais lui dire, demain, quand je passerais les prendre en limousine, Lilly et lui, pour aller à l'école? Que j'étais rentrée trop tard pour le rappeler? Et s'il remarquait mes narines qui tremblent? Je ne sais pas s'il s'est aperçu qu'elles tremblent chaque fois que je mens, mais je crois que je l'ai plus ou moins raconté à Lilly, puisque je suis incapable de me la fermer et donc de taire certaines choses qui me concernent. Bref, si Lilly lui en avait parlé, j'étais fichue.

Puis, alors que j'étais assise sur mon lit, abattue et endormie parce qu'à Genovia, il était quatre heures du matin et que j'étais en plein jet lag, j'ai eu une idée géniale. Si Michael était connecté, j'allais lui envoyer un message instantané! Et je pouvais le faire pendant que ma mère était au téléphone puisqu'on avait l'ADSL!

J'ai allumé mon ordinateur : Michael était connecté.

Michael, ai-je écrit. *Salut, c'est moi! Je voulais t'appeler mais il est plus de onze heures et j'ai eu peur que tes parents se fâchent.*

Depuis que *Le Cerveau* n'existe plus, Michael a changé de nom. Il ne s'appelle plus Le Cerveau, mais LinuxRulz, en signe de protestation contre Microsoft, qui domine l'industrie de la micro-informatique.

LinuxRulz : Salut! Ça fait du bien d'avoir de tes nouvelles. J'avais peur que tu sois morte.

Il a remarqué que j'avais arrêté de l'appeler ! Ce qui signifiait que notre plan, à Tina et à moi, marchait à la perfection. Du moins jusqu'à présent.

FtLouie : Non, je ne suis pas morte mais super occupée. Tu sais bien, le destin de l'aristocratie qui repose sur mes épaules, etc. Est-ce que je passe vous prendre demain pour aller au bahut ?

LinuxRulz : Oui, ce serait sympa. Qu'est-ce que tu fais vendredi ?

Qu'est-ce que je fais vendredi ? Est-ce qu'il me proposait de sortir ? Est-ce que Michael et moi, on allait ENFIN sortir seuls ensemble ?

J'ai essayé de taper doucement sur le clavier pour qu'il ne voie pas à quel point j'étais excitée. J'avais déjà pas mal effrayé Fat Louie en faisant des bonds sur ma chaise d'ordinateur et en manquant de lui rouler sur la queue.

FtLouie : Rien, je crois. Pourquoi ?

LinuxRulz : Tu veux aller dîner au Screening Room ? Il passe le premier épisode de La Guerre des étoiles.

MON DIEU !!!!! IL ME PROPOSAIT DE SORTIR !!!!!! Il m'invitait à dîner et à aller au cinéma. Les deux à la fois, en fait, parce qu'au Screening Room, on peut manger tout en regardant un film. Et en plus *La Guerre des étoiles,* c'est mon film préféré après *Dirty*

Dancing. Est-ce qu'il existe une fille plus heureuse que moi ? Non, je ne crois pas.

Mes doigts tremblaient quand j'ai écrit :

FtLouie : Oui, j'aimerais bien. Il faut que je demande à ma mère. Je peux te donner ma réponse demain ?
LinuxRulz : Pas de problème. On se retrouve vers 8 h 15 ?
FtLouie : OK. 8 h 15.

Je voulais ajouter quelque chose comme « Tu me manques » ou « Je t'aime », mais j'ai hésité. Ça me faisait bizarre et, finalement, je n'ai pas osé. C'est gênant de dire aux personnes qu'on aime qu'on les aime. Je sais, c'est absurde, mais c'est comme ça. Et puis, Jane Eyre ne l'aurait pas fait. Elle attend de découvrir que Mr. Rochester a perdu la vue en voulant sauver sa femme, la folle, dans un incendie dont elle est responsable.

Il est vrai que m'inviter à dîner et au cinéma, ce n'était pas vraiment pareil.

Puis Michael a écrit :

LinuxRulz : J'ai traversé cette galaxie…

C'était ma réplique préférée du premier épisode de *La Guerre des étoiles*. Du coup, j'ai répondu :

FtLouie : Il se trouve que j'aime les hommes gentils.

Michael a tout de suite reconnu cette réplique de *L'Empire contre-attaque,* parce qu'il a écrit :
LinuxRulz : Je suis gentil.

Ce qui était nettement mieux que « Je t'aime », parce que juste après avoir dit « Je suis gentil », Han Solo embrasse la princesse Leia. OH, MON DIEU ! C'était comme si Michael était Han Solo et moi la princesse Leia. Et Pavlov, le chien de Michael, serait Chewbacca. En fait, il lui ressemble un peu. C'est-à-dire qu'il lui ressemblerait si Chewbacca était un berger écossais.

Je ne pouvais pas imaginer un premier rendez-vous plus romantique. Ma mère me donnerait son accord, c'est sûr, parce que le Screening Room est à côté et parce que je sortais avec Michael. Même Mr. Gianini aime bien Michael, c'est tout dire, vu qu'il n'y a pas beaucoup de garçons à Albert-Einstein qu'il apprécie. Il dit qu'à part quelques-uns, ce ne sont que des paquets de testostérone ambulants.

Je me demande si la princesse Leia a lu *Jane Eyre.* Mais peut-être que *Jane Eyre* n'existe pas dans sa galaxie.

Jamais je ne vais réussir à dormir, je suis trop excitée. *Je vais le voir dans huit heures et quinze minutes.*

Et vendredi, je vais être assise à côté de lui dans le noir. Toute seule. Sans personne autour de nous. Sauf les serveuses et les autres spectateurs.

La Force est tellement avec moi.

Jeudi 20 janvier
Premier jour d'école après les vacances de Noël
En perm

J'ai failli ne pas me lever ce matin. D'ailleurs, la seule raison qui m'a fait sortir de dessous les couvertures – et de dessous Fat Louie, qui était couché sur moi et a ronronné toute la nuit comme une tondeuse à gazon –, c'est parce que j'allais revoir Michael pour la première fois depuis trente-trois jours.

C'est cruel de forcer une personne de mon âge, qui devrait dormir au moins neuf heures par nuit, à passer d'un fuseau horaire à un autre, totalement à l'opposé en plus, sans lui accorder au moins un jour de repos entre les deux. Je suis encore complètement décalée. Je suis sûre que ça va retarder non seulement ma croissance (pas en taille, je suis déjà assez grande comme ça, mais du côté de mes glandes mammaires, les glandes étant très sensibles aux interruptions dans les cycles du sommeil) mais mon développement intellectuel aussi.

À partir de cette année, et surtout à partir de ce trimestre, les notes vont commencer à compter pour plus tard. Même si je n'ai pas l'intention d'aller à l'université tout de suite. J'ai décidé de faire comme le prince William : prendre une année sabbatique. J'espère que je la passerai à me consacrer à un de mes talents, et si je ne m'en suis pas trouvé un d'ici là, je

123

proposerai mes services à Greenpeace. Ce qui serait bien, c'est qu'ils m'acceptent dans un des bateaux qui naviguent entre le Japon et la Russie pour surveiller les baleiniers et les baleines. Mais je ne pense pas que Greenpeace accepte des volontaires dont la moyenne générale n'a jamais dépassé 10.

Bref, j'ai eu un mal fou à me lever ce matin. Surtout quand, après avoir enfin réussi à m'extirper de mon lit, je me suis aperçue que mes sous-vêtements à l'effigie de la reine Amidala n'étaient pas dans le tiroir de ma commode. Je les porte tous les premiers jours de chaque trimestre pour conjurer le mauvais sort. Il ne m'arrive que de bonnes choses quand je les ai sur moi. Par exemple, je les portais le soir du bal du lycée quand Michael m'a dit qu'il m'aimait.

Pas qu'il était AMOUREUX, mais qu'il m'aimait. Plus que d'amitié, j'espère.

Bref, comme je mets mes sous-vêtements de la reine Amidala le premier jour de chaque trimestre, il faut que je les lave avant vendredi si je veux pouvoir les porter pour ma soirée avec Michael. Parce que je vais avoir besoin de beaucoup plus de chance que d'habitude, ce soir-là. D'abord, au cas où une Kate Bosworth traînerait dans le coin, et puis parce que j'ai décidé d'en profiter pour offrir à Michael son cadeau d'anniversaire. J'espère que ça lui plaira tellement qu'il tombera amoureux de moi, s'il ne l'est pas déjà.

Comme mes sous-vêtements de la reine Amidala n'étaient pas dans le tiroir de ma commode, j'ai dû aller dans la chambre de ma mère. C'est-à-dire celle qu'elle partage avec Mr. Gianini (heureusement que Mr. G. était sous la douche parce que, si j'avais dû les voir tous les deux au lit dans l'état où j'étais à ce moment-là, je crois que j'aurais viré ma cuti, comme Anne Heche). J'ai secoué ma mère et je lui ai dit :

« Maman, est-ce que tu sais où sont mes sous-vêtements de la reine Amidala ? »

Ma mère, qui dort comme un loir depuis qu'elle est enceinte, a répondu : « Shrunowog », ce qui ne veut rien dire.

« Maman, ai-je répété, j'ai besoin de mes sous-vêtements de la reine Amidala. Tu sais où ils sont ? »

Quand je l'ai entendue me répondre, cette fois : « Kapukin », ça m'a donné une idée. Elle accepterait sûrement que je sorte vendredi soir avec Michael, surtout après son édifiant discours de la veille mais, histoire qu'elle ne revienne pas en arrière, j'ai dit :

« Maman, est-ce que je peux aller au Screening Room avec Michael vendredi soir ?

— Oui, oui, scuniper », a-t-elle marmonné en roulant sur le côté.

Voilà, c'était au moins ça de réglé.

Il me restait à aller au lycée avec des sous-vêtements ordinaires, ce qui craignait un peu parce qu'ils n'ont rien de spécial, ils sont juste blancs.

Mais quand je suis montée dans la limousine, j'ai retrouvé le moral parce que j'allais revoir Michael.

Sauf que tout de suite après, j'ai flippé en me demandant comment ça allait se passer quand je le reverrais, justement. Lorsqu'on n'a pas vu son petit copain depuis trente-trois jours, on ne peut pas lui dire juste : «Salut», le jour des retrouvailles. Il faut faire quelque chose : l'étreindre, l'embrasser… Quelque chose, quoi.

Mais comment l'embrasser avec Lars à côté? Au moins, je n'avais pas à me soucier de mon beau-père puisque Mr. G. refuse d'aller à l'école en limousine avec Lars, Lilly, Michael et moi. Pourtant, on va tous au même endroit. Mais Mr. Gianini dit qu'il préfère prendre le métro parce que c'est le seul moment où il peut écouter la musique qu'il aime (maman et moi, on n'aime pas trop qu'il mette Blood, Sweat and Tears sur la chaîne de l'appartement. Résultat, il est obligé de l'écouter sur son diskman).

Et Lilly? Lilly aussi allait être dans la limousine. Comment sauter au cou de Michael avec Lilly à côté? D'accord, c'est en partie grâce à elle que Michael et moi, on sort ensemble, mais ça ne signifie pas pour autant que je peux me laisser aller à des démonstrations d'affection en public, devant *elle*.

Si on était à Genovia, je pourrais l'embrasser sur les deux joues, parce que c'est comme ça qu'on fait là-bas. Mais on est en Amérique, et en Amérique, c'est tout juste si on se serre la main. Sauf si on est le maire de la ville, bien sûr.

Sans compter Jane Eyre! C'était bien beau de s'être juré, Tina et moi, de pas courir après nos petits copains, mais qu'est-ce qu'on avait décidé pour les retrouvailles après trente-trois jours d'absence, hein? Rien.

J'étais sur le point de demander à Lars son avis sur la question quand j'ai eu une idée géniale, pile au moment où on s'arrêtait devant l'immeuble des Moscovitz. Alors que Hans, le chauffeur, s'apprêtait à sortir pour ouvrir la porte à Lilly et à Michael, je lui ai dit que ce n'était pas la peine, et je suis sortie à sa place.

Michael se tenait là, debout dans la neige fondue, bronzé, grand, viril, les cheveux balayés par le vent. Le simple fait de le voir m'a fait battre le cœur à tout rompre. J'avais l'impression que j'allais défaillir…

… surtout quand il m'a souri, avec sa bouche et avec ses yeux, aussi noirs que dans mon souvenir, aussi intelligents et expressifs que lorsque j'y avais plongé le regard, trente-trois jours auparavant.

Ce que je n'arrivais pas à déceler, en revanche, c'était s'ils exprimaient de l'amour pour moi ou non. D'après Tina, il suffisait que je regarde dans ses yeux pour savoir si Michael m'aimait. En vérité, tout ce que j'ai réussi à deviner, c'est qu'il ne me trouvait pas complètement repoussante. Sinon, il aurait détourné la tête, comme moi quand je vois au réfectoire le garçon qui retire systématiquement le maïs de son chili.

«Salut, ai-je dit d'une voix brusquement super-grinçante. – Salut», a répondu Michael, la voix pas du tout grinçante, mais profonde et qui sonnait un peu comme celle de Wolverine.

On est restés alors immobiles l'un en face de l'autre, accrochés par nos regards, soufflant de petits nuages de buée tandis qu'autour de nous des gens descendaient la 5ᵉ Avenue d'un pas vif. Des gens que je voyais à peine. Même Lilly, je l'ai à peine remarquée quand elle m'a bousculée en ronchonnant pour monter dans la limousine.

«Ça me fait plaisir de te voir, a dit Michael.

— Ça me fait plaisir à moi aussi, ai-je répondu.

— Hé! a crié Lilly de l'intérieur de la voiture. Il doit faire moins deux dehors! Vous ne voulez pas vous dépêcher, s'il vous plaît?

— Je crois qu'on devrait…, ai-je commencé.

— Oui, je crois aussi», a dit Michael, et il m'a tenu la portière. Mais au moment où j'allais monter, il a posé sa main sur mon bras, et quand je me suis retournée pour voir ce qu'il voulait (même si j'avais déjà ma petite idée), il a murmuré : «Tu peux sortir, alors, vendredi soir?

— Oui», ai-je soufflé.

Il m'a alors attirée contre lui, comme Mr. Rochester avec Jane, et il s'est penché vers moi à toute vitesse et m'a embrassée sur la bouche. Là, devant le concierge de son immeuble et au beau milieu de la 5ᵉ Avenue!

Je dois admettre que ni le concierge de l'immeuble des Moscovitz ni les gens autour de nous, y compris les passagers du bus M1 qui passait à ce moment-là, n'ont semblé remarquer que la princesse de Genovia était en train de se faire embrasser sous leurs yeux.

Mais *moi,* je l'ai remarqué. *Je* l'ai remarqué et j'ai trouvé ça super. Tous mes doutes s'envolaient, quant à la question de savoir si Michael m'aimait comme une compagne pour la vie ou comme une copine.

Parce qu'on n'embrasse pas une copine comme ça.

Je ne crois pas, du moins.

Je suis montée dans la limousine et je me suis assise à côté de Lilly, un sourire béat aux lèvres. J'ai eu peur que Lilly se moque de moi, mais je ne pouvais pas m'empêcher de sourire. J'étais tellement heureuse, parce que même si je ne portais pas mes sous-vêtements de la reine Amidala, le trimestre venait de très, très bien commencer!

Michael est monté à son tour, il a refermé la portière, Hans a démarré, Lars a dit bonjour à Lilly et à Michael, ils lui ont dit bonjour à leur tour et moi, je ne me suis même pas aperçue que Lars riait sous cape. C'est Lilly qui me l'a dit quand on a franchi la porte du lycée.

«Comme si on ne se doutait pas de ce que vous faisiez dehors», a-t-elle précisé.

Mais gentiment.

J'étais en fait tellement heureuse que j'ai à peine écouté ce qu'elle m'a raconté en chemin, à propos du film sur ma vie. (Lilly a envoyé une lettre en recommandé aux producteurs mais elle n'a toujours pas de réponse. Pourtant, ça fait plus de quatre semaines.)

«Encore une fois, les gens de Hollywood pensent qu'ils peuvent s'en tirer à bon compte avec n'importe quoi. Eh bien, je vais leur prouver le contraire. Si je n'ai pas de nouvelles d'ici demain, je préviens la presse.»

Cette dernière phrase a attiré mon attention.

«Tu vas donner une conférence de presse? ai-je demandé en ouvrant de grands yeux.

— Pourquoi pas? a répondu Lilly. Tu l'as bien fait, et il y a peu de temps, tu étais à peine capable de formuler une phrase cohérente devant une caméra. Ça ne doit pas être si difficile que ça.»

Ouah! Lilly est vraiment très en colère. Il va quand même falloir que je regarde ce film pour voir s'il est si mauvais que ça. Apparemment, elle est la seule qui en pense quelque chose, à l'école. Mais c'est vrai que les autres étaient à Saint-Moritz ou dans leurs maisons de vacances, à Ojai[1], et qu'ils étaient trop occupés à skier ou à s'amuser au soleil de la Californie pour regarder un stupide téléfilm sur la vie de l'une de leurs camarades d'école.

Vu le nombre de plâtres que j'ai comptés, tout le monde s'est bien plus amusé que moi pendant ces vacances. Même Michael. Il m'a raconté qu'il avait passé la majeure partie de son temps assis sur le balcon

---

1. Entre Santa Monica et Santa Barbara, dans le sud de la Californie.

de l'appartement de ses grands-parents à écrire des chansons pour son nouveau groupe.

Bref, je suis la seule à avoir assisté à des débats parlementaires et négocié le prix du stationnement pour le parking du casino de Genovia.

Mais bon. Ça fait du bien d'être de retour. Surtout parce que, pour la première fois de ma vie, le garçon que j'aime m'aime bien − et est peut-être même amoureux de moi. En plus, je vais le voir aux interclasses et pendant l'étude dirigée.

Mon Dieu ! J'ai complètement oublié ! À chaque début de trimestre, on change d'emploi du temps ! Et si Michael et moi, on n'était plus ensemble pendant l'étude dirigée ? Je ne suis même pas censée y être inscrite. Normalement, l'étude dirigée, au lycée Albert-Einstein, c'est pour permettre aux élèves dotés d'un don particulier de le développer en travaillant sur un projet de leur choix. Moi, j'y suis parce que la proviseur a pensé que je pourrais en profiter pour faire des maths en plus, tellement je suis nulle. Sinon, j'aurais dû aller en techno. EN TECHNO ! LÀ OÙ ON APPREND À CONSTRUIRE DES ÉTAGÈRES À ÉPICES !

Et au second trimestre en arts ménagers. SI JE ME RETROUVE EN ARTS MÉNAGERS À LA PLACE DE L'ÉTUDE DIRIGÉE, JE PRÉFÈRE MOURIR !!!!!!!!!!!!!!

Et ça risque de m'arriver puisque j'ai eu B− en maths au trimestre précédent. On n'impose pas d'heures supplémentaires dans une matière quand on a B−. B−, c'est considéré comme une bonne moyenne.

Sauf pour des élèves comme Judith Geshner, évidemment.

Je le savais. Je savais qu'il m'arriverait quelque chose si je ne portais pas mes sous-vêtements de la reine Amidala.

Si je ne suis pas en étude dirigée, je ne verrai Michael dans la journée qu'à l'heure du déjeuner et pendant les interclasses.

Et encore, il est possible que je ne le voie même pas au réfectoire ! Parce qu'on ne déjeunera peut-être pas à la même heure !

De toute façon, même si on déjeune à la même heure, je ne vois pas pourquoi on mangerait ensemble. J'ai toujours mangé avec Lilly et Tina, et Michael avec les élèves du club informatique. Est-ce qu'il va venir s'asseoir à ma table ? Il est impensable que *moi*, j'aille m'asseoir à sa table vu qu'on y raconte des choses auxquelles je ne comprends rien. Par exemple, que Steven Jobs craint (c'est le fondateur d'Apple), ou que c'est vraiment facile de détruire le système de défense antibalistique de l'Inde.

Mon Dieu, je vous en supplie, faites que je ne sois pas en Arts ménagers ce trimestre. JE VOUS EN SUPPLIE. JE VOUS EN SUPPLIE. JE VOUS EN SUPPLIE. JE VOUS EN SUPPLIE. JE VOUS EN SUPPLIE. JE VOUS EN SUPPLIE. JE VOUS EN SUPPLIE. JE VOUS EN SUPPLIE. JE VOUS EN SUPPLIE. JE VOUS EN SUPPLIE. JE VOUS EN SUPPLIE. JE VOUS EN SUPPLIE. JE VOUS EN SUPPLIE. JE VOUS EN SUPPLIE.

Ha ! Je ne porte peut-être pas mes sous-vêtements de la reine Amidala, mais la Force est avec moi. J'ai le MÊME emploi du temps qu'au premier trimestre, sauf que j'ai bio en troisième heure à la place d'éducation civique (mon Dieu, si vous pouviez aussi faire en sorte que Kenny, mon partenaire de bio et ex-petit ami, ne soit plus avec moi ce trimestre). J'ai éducation civique en fin de journée maintenant, et à la place de la gym, j'ai hygiène et sécurité.

Sinon, je ne suis ni en techno ni en arts ménagers !!!!!! Je ne sais pas qui a raconté à l'administration que j'avais un don particulier, mais qui que ce soit, je lui serai à jamais reconnaissante et je ferai tout pour ne pas gâcher cette heure d'étude dirigée.

Par ailleurs, j'ai découvert que Michael était non seulement en étude dirigée avec moi, mais qu'on déjeunait à la même heure. Je le sais parce que cinq minutes après être entrée dans la salle où j'ai maths, Michael est arrivé !

Oui, il est venu dans la salle où Mr. Gianini nous fait maths, comme s'il faisait partie de notre classe. Tout le monde l'a regardé en écarquillant les yeux, même Lana Weinberger parce que jamais un terminale n'entre dans une salle de seconde, sauf s'il est envoyé par l'administration pour aller chercher un élève ou apporter un document.

Mais Michael n'était pas envoyé par l'administration. Non, il est entré dans la salle de Mr. Gianini pour *me* voir. Il s'est dirigé droit vers ma table, son emploi du temps à la main et il m'a demandé : «À quel service tu manges?

— Au premier, ai-je répondu.

— Moi aussi, a fait Michael. Et tu as étude dirigée juste après?

— Oui, ai-je dit.

— Génial! On se voit à midi, alors», a-t-il murmuré.

Et il est parti. Il faisait tellement étudiant à ce moment-là avec son sac à dos Jansport et ses New Balance! Et quand il a lancé aussi d'un air superdésinvolte :

«Bonjour, Mr. Gianini», à Mr. Gianini qui était assis à son bureau, une tasse de café à la main.

Bref, on ne pouvait pas imaginer plus cool que ça.

Dire que c'est moi qu'il est venu voir. MOI, MIA THERMOPOLIS. Anciennement l'élève qui avait le moins la cote de tout le lycée, à l'exception du garçon qui n'aime pas le maïs dans le chili.

Maintenant, tous ceux qui ne nous ont pas vus nous embrasser, le soir du bal, savent qu'on sort ensemble parce qu'on n'entre pas dans la classe de quelqu'un entre deux cours pour vérifier son emploi du temps à moins qu'il ne s'agisse de son/sa petit(e) ami(e).

Je peux vous assurer qu'après le départ de Michael, j'ai senti sur moi le regard de tous mes compagnons d'infortune, y compris celui de Lana Weinberger. Et je suis sûre qu'ils pensaient tous à ce moment-là : « Il sort avec *elle* ? »

J'admets que ça peut paraître surprenant. Moi-même, j'ai du mal à y croire. Il faut dire que Michael est l'un des trois plus beaux garçons de tout le lycée, après Josh Richter et Justin Baxendale (cela dit, pour avoir vu Michael plein de fois torse nu, Josh et Justin font pâle figure comparés à lui). Donc, il est tout à fait normal de se demander ce qu'il fait avec *moi*, une mutante dénuée de tout talent avec des pieds grands comme des skis, une poitrine inexistante et des narines qui tremblent à chaque mensonge ?

Sans compter que je suis en seconde et que Michael est en terminale, et qu'il a déjà été accepté sur dossier dans l'une des plus grandes universités des États-Unis. Est-il nécessaire aussi de rappeler que Michael est le premier de sa classe et qu'il n'a eu que des A pendant toute sa scolarité tandis que moi, j'ai à peine la moyenne en maths ? Qu'il s'adonne avec brio à plusieurs activités extra-scolaires, comme l'informatique, les échecs et la culture physique. Que c'est lui qui a conçu le site Internet du bahut. Qu'il sait jouer d'au moins dix instruments de musique et qu'il vient de monter son propre groupe.

Moi ? Je suis princesse. C'est tout.

Et je ne le suis que depuis peu. Avant de le découvrir, je n'étais qu'une erreur de la nature, nulle en maths et avec plein de poils de chat sur mes habits.

J'imagine que cela a dû en surprendre plus d'un de voir Michael Moscovitz se diriger vers ma table pour comparer mon emploi du temps avec le sien. D'ailleurs, les cancans sont allés bon train, après son départ. Mr. G. a essayé de ramener le calme en disant : « C'est bon, la récréation est finie. Je sais bien que vous ne vous êtes pas vus depuis longtemps, mais on a du pain sur la planche. Alors, il vaut mieux s'y mettre dès maintenant. » Évidemment, personne n'en a tenu compte. Sauf moi.

À la table juste devant moi, Lana Weinberger était déjà accrochée à son téléphone portable – celui que je lui ai offert, puisque j'ai détruit l'ancien lors d'une crise semi-psychotique – et disait : « Shel ? Il vient de se passer un truc incroyable. Tu vois la fille bizarre qui est en latin avec toi, tu sais, celle qui a son émission de télé, avec la figure toute ratatinée ? Eh ben, son frère vient d'entrer dans la classe pour comparer son emploi du temps avec celui de Mia Thermopo… »

Malheureusement pour Lana, Mr. Gianini ne supporte pas qu'on téléphone pendant son cours. Résultat, il a foncé vers elle, a attrapé l'appareil, l'a porté à son oreille et a dit : « Mlle Weinberger ne peut pas vous parler pour l'instant. Elle est occupée à rédiger un essai de mille mots pour expliquer que c'est extrêmement mal élevé de téléphoner pendant

136

les cours. » Après quoi, il a rangé le portable de Lana dans le tiroir de son bureau et lui a annoncé qu'elle le récupérerait à la fin de la journée lorsqu'elle lui aurait rendu son essai.

J'aurais préféré que Mr. G. me donne le portable de Lana à la place. J'en aurais fait un meilleur usage qu'elle.

Mais les profs n'ont sans doute pas le droit de confisquer quelque chose à un élève pour le donner à un autre. Même si le prof en question se trouve être votre beau-père.

Ce qui est la poisse parce que j'aurais bien besoin de passer un coup de fil maintenant. Je viens de penser que je n'ai pas demandé à ma mère pourquoi Grand-Mère avait appelé hier soir.

Zut. Les nombres entiers. Il va falloir s'y mettre.

B = ($x : x$ est un nombre entier tel que x supérieur à 0)

Déf. : Quand un nombre entier est au carré, le résultat s'appelle un carré parfait.

Mardi 20 janvier, pendant l'heure d'hygiène et sécurité

Je m'ennuie. Et toi ? MT

Moi aussi. Combien de fois vont-ils nous répéter qu'avoir des relations sexuelles sans protection peut

aboutir à une grossesse non désirée ou au SIDA ? C'est quoi ? La cinq millième fois au moins, non ? Depuis le temps qu'ils nous le rabâchent, ils ne pensent pas qu'on le sait déjà ? LM

Apparemment non. Au fait, tu as vu comme Mr. Wheeton a regardé Mlle Klein quand il est entré dans la salle des profs ? Je suis sûre qu'il en pince pour elle. MT

Je crois aussi. J'ai même remarqué que tous les jours, il allait lui chercher un café chez Ho. Si c'est pas de l'amour ? Wahim ne va pas le supporter s'ils sortent ensemble. LM

Sans doute. Mais pourquoi choisirait-elle Mr. Wheeton ? Wahim est bien plus musclé. Et il est armé. MT

Qui peut expliquer la nature capricieuse du cœur humain ? Pas moi. Oh, non ! Pas la sécurité en voiture ! Je n'en peux plus ! Faisons une liste. Tu commences. LM

D'accord. MT

*Liste — revue et corrigée —
des hommes les plus sexy par Mia Thermopolis
(avec les commentaires de Lilly Moscovitz)*

1. Michael Moscovitz. *(Je ne peux évidemment pas être d'accord étant donné mes liens génétiques avec la*

personne susnommée. *Mais je reconnais qu'il n'est ni hideux ni difforme.)*

2. Ioan Griffud de *Horatio Hornblower. (Tout à fait d'accord. Il peut me demander ce qu'il veut.)*

3. Le garçon dans *Smallville. (Berk, sauf s'ils l'inscrivent dans l'équipe de natation du bahut. Qu'on le voie au moins torse nu!)*

4. Hayden Christiansen. *(Pareil : berk. Et idem pour l'équipe de natation. Il doit y en avoir une pour les Jedis. Même pour ceux qui sont passés du côté obscur.)*

5. Mr. Rochester. *(N'existe pas puisque c'est un personnage de fiction. Cela dit, je t'accorde qu'il exsude une virilité assez primitive.)*

6. Patrick Swayze. *(Ouais, OK, peut-être dans* Dirty Dancing, *mais est-ce que tu l'as vu récemment? Les danseurs vieillissent MAL.)*

7. Le capitaine von Trapp dans *La Mélodie du bonheur. (C'est encore un personnage de fiction, mais c'est vrai que le capitaine est super sexy. Je n'hésiterais pas à me mesurer à la horde nazie pour le défendre.)*

8. Justin Baxendale. *(Berk. J'ai entendu dire qu'une fille de terminale avait tenté de se suicider parce qu'il l'avait regardée. Je ne plaisante pas. Il paraît que ses yeux ont un tel pouvoir hypnotique qu'elle s'est prise pour Sylvia Plath. Résultat, elle suit une thérapie depuis.)*

9. Heath Ledger. *(Oui, surtout dans* Chevalier, *plus que dans* The Four Feathers, *où je l'ai trouvé un*

*peu guindé. En plus, il ne se montre pas assez souvent
torse nu.)*

10. La Bête de *La Belle et la Bête. (J'en connais une
autre qui devrait aller voir un psy.)*

Mardi 20 janvier, pendant l'étude dirigée

Je suis tellement déprimée.

Je sais que je ne devrais pas l'être. Tout va bien
dans ma vie en ce moment :

1. Le garçon dont je suis folle amoureuse depuis à
peu près toujours m'aime, du moins m'aime bien, et
j'ai rendez-vous avec lui vendredi soir pour notre première vraie sortie.

2. Je sais que c'est le premier jour du trimestre
mais jusqu'à présent, j'ai suivi à peu près dans toutes
les matières, même en maths.

3. Je ne suis plus à Genovia, l'ennui maximum, à
l'exception peut-être des maths et des leçons de princesse de Grand-Mère.

4. Kenny n'est plus mon partenaire de bio. Je partage ma paillasse avec Shameeka maintenant. Ouf.
D'accord, c'est un peu lâche de ma part (d'être soulagée de ne plus avoir à m'asseoir à côté de Kenny),
mais je suis prête à parier que pour Kenny je ne suis
qu'un monstre qui l'a mené en bateau pendant des
mois alors que j'aimais quelqu'un d'autre (qui ne se
trouve pas être la personne à laquelle il pensait). Bref,

le fait de ne pas avoir à supporter ses regards hostiles (même s'il a une nouvelle petite amie, une fille qui était en bio avec nous. Tiens donc… Il ne perd pas de temps) va certainement m'aider à augmenter ma moyenne. Sans compter que Shameeka est superbonne en sciences. En fait, Shameeka est bonne dans plein de matières, mais comme moi, elle n'a AUCUN TALENT EN PARTICULIER, ce qui fait d'elle, finalement, mon âme sœur.

5. J'ai des amis hypercool qui semblent m'apprécier, et pas seulement parce que je suis une princesse.

Mais voilà, c'est ça le problème. Tout va bien, je devrais être superheureuse, je devrais planer sur mon nuage.

Peut-être que c'est à cause du jet lag – je suis tellement fatiguée que j'ai du mal à garder les yeux ouverts –, ou alors, ce sont les effets du syndrome prémenstruel – je suis quasiment sûre que ces vols transcontinentaux ont complètement bouleversé mon horloge interne –, mais je ne peux m'ôter de l'esprit le sentiment d'être… nulle. Complètement nulle.

Je parle sérieusement. Prenons l'étude dirigée, telle qu'on la conçoit à Albert-Einstein, par exemple.

QU'EST-CE QUE JE FABRIQUE ICI ?????

Je n'ai aucun don. Aucun talent. Je ne suis bonne à rien, malgré ce que pense ma mère. JE SUIS UNE TRICHEUSE. JE NE DEVRAIS PAS ÊTRE ICI.

Ça m'a traversé l'esprit aujourd'hui, pendant le déjeuner. J'étais assise avec Lilly et Boris, Tina, Shameeka et Ling Su. Et Michael est venu s'asseoir à notre table, ce qui a bien sûr provoqué un silence de mort dans tout le réfectoire, puisque généralement Michael mange, comme tout le monde le sait au bahut, avec les membres du club informatique.

Bref, j'étais assez gênée, mais en même temps fière et ravie aussi, parce que Michael ne s'asseyait JAMAIS à notre table avant, quand on était juste copains. Ça signifie forcément qu'il est au moins un tout petit peu amoureux de moi, vu que ça ne doit pas être évident de renoncer aux discussions intellectuelles de sa table, alors que les conversations de notre table tournent le plus souvent autour du dernier épisode de *Charmed* ou de la robe dos nu de Rose McGowan.

Mais Michael a été hyperchic, même s'il n'aime pas beaucoup *Charmed,* qu'il juge assez facile. De mon côté, j'ai tout fait pour qu'on aborde des sujets qui intéresseraient un garçon comme lui. Par exemple *Buffy contre les vampires* ou Milla Jovovich.

Cela dit, je me suis vite aperçue que ce n'était pas nécessaire. Michael est comme les papillons qu'on a étudiés en bio, ceux qui devenaient tout noirs parce que les troncs d'arbres sur lesquels ils vivaient étaient couverts de suie à cause du développement industriel. Eh bien, Michael s'adapte parfaitement à n'importe quelle situation. Je trouve que c'est un talent extraordinaire et je l'envie. Si j'avais ce talent, peut-être que je ne me sentirais pas aussi déplacée aux réunions de l'Association des producteurs d'huile d'olive de Genovia.

Pour en revenir à aujourd'hui et au déjeuner, quelqu'un s'est mis à parler de clonage, et tout le monde a commencé à citer qui il clonerait s'il en avait la possibilité. Certains ont dit Albert Einstein, comme ça il pourrait revenir et nous expliquer le sens de la vie, d'autres ont choisi Jonas Salk, l'inventeur du vaccin contre la polio, pour qu'il trouve un remède contre le cancer, Mozart, afin qu'il puisse finir son *Requiem* (peut-être que c'était un autre morceau, en tout cas, c'était évidemment une idée de Boris), la Pompadour, pour qu'elle nous donne des tuyaux sur les histoires d'amour (Tina) ou Jane Austen, la romancière anglaise, pour qu'elle puisse décrire avec mordant le climat politique actuel et qu'on tire profit de son esprit incisif (Lilly).

Michael, lui, a dit qu'il clonerait Kurt Cobain, parce que c'est un musicien de génie qui a disparu bien trop tôt. Il m'a demandé qui je clonerais et aucun nom ne m'est venu à l'esprit. En fait, il n'y a aucun mort que j'aimerais voir revivre, à l'exception peut-être de Grand-Père, mais ça donne un peu la chair de poule, non? Et Grand-Mère flipperait comme une malade. Bref, j'ai répondu Fat Louie, parce que je l'adore et que ça ne me gênerait pas d'avoir deux Fat Louie à la maison.

Personne n'a fait aucun commentaire, sauf Michael, qui a dit : «C'est mignon.» Maintenant que j'y repense, je suis sûre qu'il a dit ça parce que je suis sa petite amie.

Mais bon, ça ne m'embête pas. J'ai l'habitude d'être la seule à regarder *Empire Records* en entier chaque fois que ça passe à la télé, et à penser que c'est l'un des meilleurs films jamais réalisés – après *La Guerre des étoiles, Dirty Dancing, Un monde pour nous* et *Pretty Woman,* évidemment. Ah oui, et *Tremors* et *Twister.*

Je n'ai pas honte de dire que je regarde le concours de Miss America Pageant tous les ans, même si je sais que c'est dégradant pour les femmes dans la mesure où il faut faire du 38 maximum pour y participer.

Je suis comme ça, je le sais. J'ai essayé de faire des efforts en regardant des films qui avaient été primés aux oscars, comme *Tigre et Dragon* et *Gladiator,* mais je n'y arrive pas. Tout le monde meurt à la fin et en plus, quand il n'y a ni scènes de danse ni explosions, j'ai du mal à rester attentive.

J'essaie de m'accepter telle que je suis. Par exemple, bonne en anglais et nulle en maths.

Mais quand on est allés en étude dirigée, aujourd'hui, après le déjeuner, et que Lilly s'est mise à travailler sur le prochain épisode de son émission *Lilly ne mâche pas ses mots,* que Boris a sorti son violon et a commencé à jouer un concerto (malheureusement pas dans le placard puisqu'ils n'ont toujours pas remis la porte), et que Michael a mis ses écouteurs et a travaillé sur une nouvelle chanson pour son groupe, c'est là que ça m'a frappée.

Il n'y a pas une seule chose pour laquelle je suis douée. En fait, si je n'étais pas princesse, je serais la personne la plus ordinaire qui existe sur terre.

Je ne plaisante pas. Tous mes amis savent faire des choses incroyables : Lilly est une véritable encyclopédie ambulante et elle n'a pas peur de prendre la parole devant une caméra. Michael sait jouer non seulement de la guitare et de toutes sortes d'instruments, dont le piano et la batterie, mais il peut aussi concevoir des programmes informatiques. Boris a donné un concert à guichets fermés à Carnegie Hall à l'âge de onze ans. Tina Hakim Baba lit un livre par jour et est capable d'en réciter des passages entiers sans se tromper, et Ling Su est une artiste extrêmement talentueuse. La seule personne à notre table qui n'ait aucun don particulier à part moi, c'est Shameeka. Mais ça ne m'a rassurée qu'à moitié, parce que Shameeka est superbelle, elle n'a que de bonnes notes et chaque fois qu'elle fait des courses avec sa mère chez Bloomingdale, elle est abordée par des photographes qui lui demandent si elle ne veut pas poser pour eux (même si le père de Shameeka a annoncé à ses filles qu'aucune ne sera mannequin de son vivant).

Mais moi ?

Je ne sais rien faire. C'est-à-dire rien de vraiment bien. En tout cas, rien mieux que les autres.

Je n'ai aucun atout. Je ne comprends même pas comment je peux intéresser Michael, tellement je suis nulle. Finalement, ce n'est pas plus mal que mon destin de monarque soit scellé, parce que si je devais chercher du travail, je ne trouverais rien, vu que je ne sais rien faire.

Bref, je suis là, en étude dirigée, et autant se le dire une bonne fois pour toutes :

Moi, Mia Thermopolis, je n'ai aucun talent.

QU'EST-CE QUE JE FAIS ICI?????? MA PLACE N'EST PAS ICI!!!!!!! JE DEVRAIS ÊTRE EN TECHNO!!!!! OU EN ARTS MÉNAGERS!!!!!!! JE DEVRAIS ÊTRE EN TRAIN DE FABRIQUER UNE CAGE À OISEAU OU UN GÂTEAU AUX POMMES!!!!!!!

Pile au moment où j'écrivais ça, Lilly s'est penchée vers moi et a dit : «Qu'est-ce que tu as? Tu as avalé une chaussette ou quoi?» C'est la phrase qu'on emploie lorsque l'autre a l'air superdéprimée, parce qu'on a remarqué qu'on faisait la même tête que Fat Louie quand il a avalé une de mes chaussettes (pas exprès, évidemment) et qu'il doit ensuite aller chez le véto pour qu'on la lui retire.

Heureusement, Michael n'a pas entendu, vu qu'il avait ses écouteurs sur les oreilles. Jamais je n'aurais pu avouer devant lui ce que j'ai fini par avouer à sa sœur, à savoir que je ne suis qu'une pauvre fille dépourvue de tout talent, parce qu'il se rendrait compte alors que je n'ai rien à voir avec Kate Bosworth et s'empresserait de me plaquer.

« Et si je me suis retrouvée ici au départ, c'est parce que je suis nulle en maths », ai-je expliqué à Lilly.

Lilly a alors fait un truc très étonnant. Elle m'a regardée droit dans les yeux et a dit : « Bien sûr que tu es douée. »

À mon tour, je l'ai regardée droit dans les yeux mais, j'en ai bien peur, les miens étaient emplis de larmes.

« Ah oui ? Et en quoi ? » ai-je demandé en me retenant de ne pas éclater en sanglots.

Ça doit être le syndrome prémenstruel parce que j'étais vraiment à deux doigts d'exploser.

Mais à ma grande déception, Lilly a répondu :

« Si tu ne trouves pas, ne compte pas sur moi pour t'aider. »

J'ai eu beau protester, rien n'y a fait.

« Le chemin vers l'autoréalisation doit se faire seul, sans l'aide de personne, a-t-elle déclaré. Autrement, tu n'aurais pas la sensation de l'accomplissement. Tout ce que je peux te dire, c'est qu'il est en face de toi. »

J'ai regardé autour de moi sans comprendre de quoi elle parlait. Il n'y avait rien en face de moi. Personne ne me regardait. Boris faisait grincer son archet contre les cordes de son violon et Michael pianotait sur son clavier comme un malade. Quant aux autres, ils étaient absorbés par la lecture de leurs magazines, griffonnaient dans leurs cahiers ou sculptaient des figures dans de la cire.

Je ne vois toujours pas à quoi pensait Lilly. Je ne suis douée pour rien, à part peut-être distinguer un couvert à poisson d'un couvert ordinaire.

Comment ai-je pu croire que ce dont j'avais besoin pour m'autoréaliser, c'était que l'homme que j'aime m'aime aussi – ou du moins m'aime bien. En fait, c'est pire. Parce que ses incroyables talents me font apparaître encore plus comme quelqu'un d'ordinaire.

J'aimerais pouvoir aller à l'infirmerie et dormir. Mais l'infirmière n'acceptera jamais, à moins que je n'aie de la fièvre. Et à mon avis, tout ce dont je souffre, c'est du décalage horaire.

Je savais que cette journée se passerait mal. Si j'avais eu mes sous-vêtements de la reine Amidala sur moi, je ne me serais jamais rendu compte que je suis aussi quelconque.

Mardi 20 janvier, pendant l'éducation physique

Samuel B. Morse : a inventé le télégraphe
 — communications plus faciles
 — fils électriques visibles
Th. Edison : a inventé la lumière électrique
 — plus facile pour allumer la lumière
 — la société n'y a pas cru au début parce que
  ça ne marchait pas très bien
 — moins cher que les bougies
 a inventé le phonographe

— a permis d'écouter de la musique chez soi
sans être obligé de jouer d'un instrument
— son assez mauvais au départ
— cher
Ben. Franklin : a inventé le four Franklin
— moins de combustible
— plus facile pour cuisiner
— plus de pollution
a inventé le paratonnerre
— maisons protégées de la foudre
— très laid
Eli Whitney : a inventé l'égreneuse de coton
— allégement du travail
— compression du personnel
A. Graham Bell : a inventé le téléphone
— communications plus faciles
Elias Howe : a inventé la machine à coudre
— allégement du travail
— compression du personnel
Chris. Schols : a inventé la machine à écrire
— travail plus facile
— compression du personnel
Henry Ford : a inventé l'automobile
— abandon du cheval
— pollution

Je n'inventerai jamais rien, que ce soit pour le
bénéfice de la société ou non, parce que je suis trop
nulle. Je n'arrive même pas à faire installer des PARC-
MÈTRES dans le pays que je dirigerai un jour!!!!!!!

Devoirs :

Maths : pbs début chap. 11 (pas de séances de révision puisqu'on commence le trimestre)

Anglais : mettre à jour le journal (décrire en 500 mots comment on a passé les vacances de Noël)

Bio : lire chap. 13

Hygiène et sécurité : chap. 1, « Nous et notre environnement »

Étude dirigée : trouver quel est mon talent

Français : chap. 10

Éducation civique : chap. 13

Mardi 20 janvier
Dans la limousine, en route vers ma leçon de princesse

À faire :

1. Retrouver mes sous-vêtements de la reine Amidala.

2. Cesser de me prendre la tête pour savoir si Michael m'aime bien ou s'il est amoureux de moi. Me contenter de ce que j'ai. Ne pas oublier que des tas de filles n'ont pas de petits copains du tout ou que, si elles en ont, ils ne sont franchement pas terribles.

3. Appeler Tina pour voir où elle en est sur le front « Ne pas courir après les garçons ».

4. Faire mes devoirs. Et ne pas prendre de retard dès le premier jour !

5. Envelopper le cadeau de Michael.

6. Découvrir pourquoi Grand-Mère a appelé maman hier soir. Mon Dieu, faites que ce ne soit pas quelque chose d'étrange, genre m'emmener à une séance de tir au pigeon d'argile. Je ne veux pas tirer sur des pigeons d'argile. Ou sur n'importe quoi d'autre, d'ailleurs.

7. Cesser de me ronger les ongles.

8. Acheter de la litière pour chat.

9. Trouver quel est mon talent secret.

10. DORMIR !!!!!!! Les garçons n'aiment pas les filles qui ont des valises sous les yeux, même Michael. Et Kate Bosworth n'en a jamais.

Mardi 20 janvier
Toujours dans la limousine, en route vers ma leçon de princesse

Brouillon pour le journal de Mrs. Spears :
Mes vacances de Noël
Par Mia Thermopolis

J'ai passé mes vacances de Noël à Genovia, une petite principauté de 50 000 habitants, sur la Côte d'Azur entre l'Italie et la France. L'huile d'olive est sa principale exportation, sinon Genovia vit essentiellement du tourisme. Récemment, le pays a vu son infrastructure fortement endommagée à cause du trop grand nombre de touristes qui débarquent tous les jours des bateaux.

. . . .

. . . .

. . . .

. . . .

. . . .

. . . .

Mercredi 21 janvier, en perm

Je n'en reviens pas. Je devais être encore plus fatiguée que je ne le pensais, hier, parce que je me suis carrément endormie dans la voiture avant d'arriver chez Grand-Mère. Lars n'a même pas réussi à me réveiller ! Il paraît que je lui ai donné des coups et que je l'ai injurié en français (c'est à cause de François, ça).

Résultat, il a demandé à Hans de faire demi-tour et de me ramener à la maison. Et là, il a dû me porter jusqu'au troisième étage (ce qui est un véritable exploit, vu que je dois peser autant que cinq Fat Louie réunis) et maman m'a mise au lit.

Je ne me suis même pas réveillée pour dîner. J'ai dormi jusqu'à sept heures, ce matin ! C'est-à-dire que j'ai dormi quinze heures d'affilée.

Ouah ! À tous les coups, c'est l'excitation du retour et des retrouvailles avec Michael qui m'a anéantie.

Ou bien, j'étais vraiment épuisée par le décalage horaire. Du coup, le flip que je me suis fait, comme quoi je n'étais bonne à rien et que je n'avais aucun talent, ne provenait pas de mon manque de confiance en moi, mais d'un déséquilibre chimique dû à une absence de sommeil paradoxal. J'ai lu que les gens qu'on privait de sommeil avaient des hallucinations, au bout d'un moment. Il paraît qu'un DJ qui était resté éveillé pendant onze jours d'affilée – record jamais égalé depuis – s'est mis à ne plus passer que Crosby, Still and Nash. C'est à ce détail que les gens, dans la boîte, ont senti qu'il fallait appeler une ambulance.

Le problème avec moi, c'est que même après avoir dormi quinze heures non-stop, j'ai toujours la sensation de n'être qu'une bonne à rien dénuée de tout talent. Mais aujourd'hui, du moins, je ne le vis pas comme une immense tragédie. Je crois que ces quinze heures de sommeil m'ont permis de prendre un peu de recul. Par exemple, tout le monde ne peut pas être un génie comme Lilly et Michael. Et tout le monde ne peut pas être un virtuose du violon comme Boris. Je dois bien être bonne dans *quelque chose*. Il faut juste que je trouve. J'ai demandé à Mr. G. aujourd'hui, pendant le petit déjeuner, en quoi j'étais bonne à son avis et il m'a répondu que je faisais de temps en temps des commentaires intéressants sur la mode.

Mais je suis sûre que Lilly ne parlait pas de ça puisque je portais mon uniforme d'école quand elle a mentionné mon mystérieux talent, et qu'on ne peut pas dire qu'il soit d'une grande créativité.

La remarque de Mr. G. m'a rappelé que je n'avais toujours pas retrouvé mes sous-vêtements de la reine Amidala. Je n'allais évidemment pas demander à mon beau-père s'il les avait vus. Il y a des limites. Déjà que j'essaie de ne pas regarder ses sous-vêtements à lui quand ils arrivent du pressing pliés et repassés. Je tiens à préciser qu'il use d'ailleurs de la même discrétion à mon égard.

Je ne pouvais pas non plus demander à ma mère puisqu'une fois de plus, elle dormait quand je me suis levée.

Apparemment, les femmes enceintes ont autant besoin de sommeil que les ados et les DJ.

Quoi qu'il en soit, j'ai intérêt à les retrouver d'ici vendredi si je ne veux pas que ma première sortie avec Michael soit un véritable fiasco. Par exemple, s'il me disait en découvrant son cadeau d'anniversaire : « Euh… c'est l'intention qui compte. »

J'aurais peut-être dû suivre le conseil de Mrs. Hakim Baba et lui offrir un pull.

Mais Michael n'a pas le genre pull ! Je m'en suis rendu compte aujourd'hui quand Hans s'est garé devant l'immeuble des Moscovitz. Michael se tenait sur le trottoir, il avait l'air si grand, si viril. Il ressemblait un peu à Heath Ledger… sauf pour les cheveux. Ceux de Michael sont noirs.

Et comme son écharpe flottait au vent, je voyais une partie de son cou, juste entre la pomme d'Adam et l'ouverture du col de sa chemise, là où Lars m'a dit que si on frappait suffisamment fort, on pouvait paralyser son adversaire. Le cou de Michael était tellement beau, il était tellement lisse et concave, que ça me faisait penser à Mr. Rochester, chevauchant sur Mesmour tout en réfléchissant à son amour pour Jane…

Bref, en le regardant, sur le trottoir, j'ai su que j'avais bien fait de ne pas lui avoir acheté de pull. Jamais Kate Bosworth n'offrirait un *pull* à son petit ami.

Et puis Michael m'a vue et il m'a souri. Il ne ressemblait plus du tout à Mr. Rochester, à ce moment-là, parce que Mr. Rochester ne sourit jamais. Il ressemblait juste à Michael Moscovitz.

Mon cœur a fait un bond dans ma poitrine, comme chaque fois que je vois Michael.

« Tu vas bien ? » m'a-t-il demandé dès qu'il est monté dans la limousine. Ah, ses yeux… Ils sont si bruns qu'ils en sont presque noirs, comme les tourbières que prend soin d'éviter Mr. Rochester quand il se promène sur la lande, parce que si on marche dans une tourbière, on risque de s'enfoncer et de disparaître à tout jamais… ce qui est un peu ce qui m'arrive quand je regarde les yeux de Michael : je m'enfonce et je sais que je risque de m'y perdre à tout jamais. Mais ce n'est pas grave, parce que j'aime être là quand, à son tour, il plonge son regard dans le mien. Mes yeux à moi sont gris, du gris des trottoirs new-yorkais. Ou des parcmètres.

«Je t'ai appelée, hier soir, a-t-il dit ensuite, tandis que sa sœur le poussait pour monter à son tour dans la limousine. Mais ta mère m'a dit que tu dormais.

— J'étais très, très fatiguée, ai-je répondu, ravie de découvrir qu'il s'était fait du souci pour moi. J'ai dormi quinze heures non-stop.

— N'importe quoi», a lâché Lilly.

Apparemment, les détails de mon cycle de sommeil ne l'intéressaient pas du tout.

«J'ai eu les producteurs de ton film au téléphone.

— C'est vrai? me suis-je exclamée avec surprise. Qu'est-ce qu'ils ont dit?

— Ils m'ont proposé de les rencontrer autour d'un petit déjeuner», a répondu Lilly en s'efforçant de masquer sa joie. Mais ça se voyait qu'elle avait du mal. Elle gloussait presque, tellement elle était fière. «Vendredi matin, a-t-elle précisé. Ce ne sera donc pas nécessaire de passer me prendre.

— Ouah! ai-je fait, impressionnée. Un rendez-vous autour d'un petit déjeuner? Tu crois qu'ils vont te servir des bagels?

— Je pense, oui», a dit Lilly.

J'avoue que ça m'a bluffée. Jamais je n'ai été invitée à prendre le petit déjeuner avec des producteurs.

Mon seul petit déjeuner un peu important, c'était avec l'ambassadeur d'Espagne, à Genovia.

J'ai demandé à Lilly si elle avait préparé une liste de questions à leur poser et elle m'a répondu oui, mais qu'elle ne me dirait pas lesquelles.

Il faut que je voie ce film pour comprendre enfin ce qui la met dans une telle rage. Ma mère l'a enregistré. Il paraît que c'est l'un des films les plus drôles qu'elle ait jamais vus. En même temps, ma mère rit quand elle regarde *Dirty Dancing,* même pendant les scènes qui ne sont pas censées être drôles. Ce qui fait que je ne sais pas si je peux me fier à son jugement.

Oh, oh. L'une des *pom-pom girls* (malheureusement pas Lana) s'est déchiré le tendon d'Achille pendant les vacances de Noël. Ils vont faire passer des essais pour lui trouver une remplaçante. Celle qui la remplace habituellement est partie en pensionnat dans le Massachusetts, quand ses parents ont découvert qu'elle avait fait une fête complètement destroy pendant qu'ils étaient à la Martinique.

Pourvu que le « film sur ma vie » occupe suffisamment Lilly et qu'elle n'ait pas le temps de protester contre la sélection de la nouvelle *pom-pom girl.* Le trimestre dernier, elle m'a obligée à manifester avec une banderole sur laquelle on pouvait lire : *Le cheerleading*[1] *est sexiste et ce n'est pas un sport,* ce qui n'est peut-être même pas sûr techniquement parlant, puis-

---

1. Nom donné à l'activité de supporter des pom-pom girls.

qu'il existe un championnat de *cheerleading* sur la chaîne Omnisports. Mais c'est vrai qu'en sport, les équipes de filles à l'école ne sont soutenues par aucun *cheerleader*. Par exemple, Lana et ses copines n'ont jamais encouragé l'équipe féminine de basket ou de volley d'Albert-Einstein. En revanche, elles n'ont jamais manqué un match de garçons. Peut-être que le *cheerleading* est sexiste, finalement.

Qu'est-ce qui se passe ? Je suis convoquée chez la principale ! Pour une fois que je n'ai rien fait.

Franchement, ce n'est pas juste.

Mercredi 21 janvier
Dans le bureau de la principale

C'est quand même incroyable. Ça fait deux jours à peine que le trimestre a commencé et je suis déjà dans le bureau de la principale. En plus, je n'ai rien fait ! Bon d'accord, je n'ai pas fini mes devoirs, mais j'avais un mot d'excuse signé de la main de mon beau-père. Je l'ai remis à l'administration ce matin.

Voilà ce que Mr. G. a écrit :

Je vous prie de bien vouloir excuser Mia de ne pas avoir fini ses devoirs pour le mardi 20 janvier. Elle était très fatiguée à cause du décalage horaire et n'a pas pu

faire tout ce qui lui était demandé. Elle ne manquera
pas de s'y mettre dès ce soir.
Franck Gianini.

Ça craint, quand votre beau-père est aussi votre
prof de maths.

Mais qu'est-ce que la principale Gupta trouve à
redire à ça ? Bon, d'accord, on n'est que le deuxième
jour du trimestre et j'ai déjà pris du retard. Mais pas
tant que ça, tout de même.

Je n'ai même pas vu Lana, aujourd'hui. Donc, je
ne suis pas convoquée parce que j'ai porté atteinte à
sa personne ou à l'un de ses biens personnels.

MON DIEU. Ça vient de me traverser l'esprit. Et si
la principale s'était rendu compte de son erreur ? Si
elle s'était rendu compte que je n'ai rien à faire en
étude dirigée parce que je n'ai aucun talent à développer ?
Peut-être que je ne m'y suis retrouvée qu'à cause
d'une mauvaise manip à l'ordinateur et maintenant
que le problème est réglé, je vais être envoyée en
techno ou en arts ménagers, où j'aurais dû être
depuis le début ? Il faudra alors que je construise une
armoire à épices!!! Ou pire, que je prépare une omelette aux lardons !

Je ne reverrai plus jamais Michael ! Bon d'accord,
je le verrai le matin, sur le chemin de l'école, au réfectoire pour déjeuner, après l'école aussi, et le week-end

159

et pendant les vacances, mais c'est tout. Si je ne suis plus en étude dirigée, je serai privée de Michael cinq heures par semaine! Même si pendant l'étude dirigée, on ne parle pas beaucoup. Michael ayant un vrai talent, contrairement à moi, il utilise cette heure pour mettre à profit ses capacités musicales au lieu de me donner un cours particulier, ce qu'il finit cependant par faire, vu que je suis d'une nullité crasse en maths.

Mais on est quand même *ensemble.*

Mon Dieu! C'est trop affreux. Si j'ai vraiment un don – ce dont je doute – POURQUOI Lilly ne m'a-t-elle pas dit ce que c'était? J'aurais pu au moins le jeter à la figure de la principale Gupta quand elle essaiera de m'envoyer en techno.

Mais… quelle est cette voix que j'entends? Dans le bureau de la principale? Je la connais. On dirait la voix de…

Mercredi 21 janvier
Dans la limousine de Grand-Mère

Je n'arrive pas à croire que Grand-Mère ait fait une chose pareille. Je ne plaisante pas. Quel genre de personne pourrait faire ÇA? Sortir une ado de son lycée comme elle vient de le faire?

Elle est censée être adulte! Me montrer le bon exemple.

Et qu'est-ce qu'elle fait à la place?

D'abord, elle raconte un énorme CRAQUE puis elle me retire de l'école sous un faux prétexte.

Vous savez quoi? Si ma mère et mon père apprennent ce qu'elle a fait, c'en est fini de Clarisse Renaldo.

J'aurais pu avoir une crise cardiaque, en plus!

Heureusement que je n'ai pas de cholestérol grâce à mon régime végétarien, parce que je vous le dis, j'aurais vraiment pu faire un infarctus tellement elle m'a fichu la trouille quand elle est sortie du bureau de la principale en disant: «Nous allons prier pour qu'il guérisse vite, bien sûr, mais vous savez que dans ces affaires-là...»

J'ai eu l'impression que ma tête se vidait de son sang, non pas parce que Grand-Mère parlait à la principale mais à cause de ce qu'elle disait.

Je me suis levée d'un bond. Mon cœur battait si fort que j'ai cru qu'il allait exploser.

«Que se passe-t-il? ai-je demandé, en proie à la panique. C'est papa? Son cancer a récidivé? C'est ça? Dis-moi la vérité, Grand-Mère!»

D'après ce que Grand-Mère venait de dire à la principale, ça ne faisait pas l'ombre d'un doute pour moi. Le cancer des testicules dont avait été opéré mon père était réapparu et il allait devoir recommencer tout son traitement.

« Je te le dirai dans la voiture, a déclaré Grand-Mère sèchement. Allons-y.

— Non, maintenant ! Tu peux me le dire maintenant. Je suis assez grande pour le supporter, je te le jure ! C'est papa, n'est-ce pas ? me suis-je écriée en essayant de la retenir tandis que Lars essayait, lui, de me retenir.

— Ne t'inquiète pas pour tes devoirs, Mia ! a lancé la principale Gupta au moment où on sortait de l'école. Occupe-toi plutôt de ton père ! »

C'était donc vrai ! Papa était *malade* !

« C'est son cancer ? ai-je demandé à Grand-Mère alors qu'on se dirigeait vers la limousine garée devant le lion en pierre qui trône en bas des marches du lycée Albert-Einstein. Est-ce que les médecins pensent qu'on peut le soigner ? Il a besoin d'une greffe de moelle osseuse ? Parce que tu sais, on doit être compatibles étant donné que j'ai ses cheveux. Enfin, les cheveux qu'il avait quand il en avait, quoi. »

C'est seulement lorsqu'on s'est retrouvées assises à l'arrière de la limousine que Grand-Mère m'a regardée d'un air dégoûté et a dit :

« Ton père va très bien, Amelia. En revanche, il y a quelque chose qui cloche avec ton école. Est-ce que tu te rends compte que vous n'êtes autorisés à vous absenter qu'en cas de maladie! C'est absolument ridicule! Les gens ont bien le droit de se prendre une journée de temps en temps. Une journée pour eux. Eh bien, aujourd'hui, Amelia, c'est ce que tu fais : tu prends ta journée.»

Je l'ai regardée en plissant les yeux. Je n'en croyais pas mes oreilles.

«Une minute, s'il te plaît, ai-je déclaré. Tu veux dire que… que papa n'est pas malade?

— Pfuit! a fait Grand-Mère. Il m'a paru en très bonne santé quand je lui ai parlé ce matin.

— Mais… pourquoi es-tu allée raconter à la principale que…

— Parce que c'était le seul moyen pour qu'elle t'autorise à quitter la classe! a répondu Grand-Mère en jetant un coup d'œil à sa montre en or, sertie de diamants. Nous sommes en retard. Franchement, il n'y a rien de pire qu'un éducateur zélé. Ne savent-ils donc pas qu'il existe différentes façons d'enseigner, et que toutes les leçons n'ont pas nécessairement lieu dans une salle de classe?»

Je commençais à comprendre. Grand-Mère n'était pas venue me chercher à l'école en plein milieu de la journée parce qu'un membre de ma famille était malade. Non, elle était venue me chercher parce qu'elle voulait m'enseigner quelque chose.

«Grand-Mère! me suis-je écriée. Tu n'as pas le droit de débarquer à l'école et de m'emmener quand bon te semble. Et tu n'as certainement pas le droit de raconter à la principale que papa est malade quand il ne l'est pas! Comment as-tu osé faire une chose pareille? Tu sais que ça peut lui porter malheur? Imagine que ça arrive!

— Ne sois pas ridicule, Amelia, a dit Grand-Mère. Ton père ne va certainement pas retourner à l'hôpital simplement parce que j'ai raconté un petit mensonge à la principale de ton lycée.

— Je ne comprends pas comment tu peux être aussi sûre de toi, ai-je répondu en colère. Et de toute façon, où m'emmènes-tu? Je ne peux pas me permettre de quitter l'école à n'importe quelle heure de la journée, tu sais. Je ne suis pas aussi intelligente que les autres élèves de ma classe et j'ai un maximum de travail à rattraper étant donné que je me suis couchée très tôt hier soir et…

— Oh, je suis désolée, m'a coupée Grand-Mère d'un ton sarcastique. Je ne savais pas que tu adorais autant les mathématiques ni que c'était une privation pour toi de manquer un cours…»

Je ne pouvais pas nier qu'elle avait raison sur ce point. Du moins, en partie. Si je désapprouvais la méthode de Grand-Mère, le fait qu'elle m'ait dispensée d'une heure de mathématiques n'était pas exactement quelque chose que j'allais déplorer. Soyons sincère. Les nombres entiers, ce n'est pas trop mon truc.

« Peu importe. Je dois être de retour pour déjeuner, ai-je déclaré. Sinon Michael va se demander…

— *Encore* ce garçon ! s'est exclamée Grand-Mère en levant les yeux vers le plafond de la limousine.

— Oui, *encore* ce garçon, ai-je répliqué. Ce garçon que j'aime de tout mon cœur. Si seulement tu te donnais la peine de le rencontrer, tu…

— Enfin, nous sommes arrivées, m'a-t-elle coupée une seconde fois, tandis que le chauffeur se garait. Sors, Amelia. »

Une fois sur le trottoir, j'ai regardé autour de moi pour voir où Grand-Mère m'avait amenée. L'énorme boutique Chanel de la 57e Rue se dressait devant moi. Ça ne pouvait tout de même pas être là qu'on allait ? Si ?

Mais lorsque Grand-Mère a démêlé la laisse Louis Vuitton de Rommel, qu'elle a posé ensuite son caniche par terre et qu'elle s'est dirigée à grandes enjambées vers les portes vitrées du célèbre magasin, je n'ai plus eu aucun doute : on allait bel et bien chez Chanel.

« Grand-Mère, me suis-je écriée en courant après elle. Tu es venue me chercher pour faire du *shopping* ?

— Tu as besoin d'une robe pour le bal que donne la comtesse Trevanni vendredi, a-t-elle déclaré en redressant le menton. Je n'ai pas pu obtenir de rendez-vous plus tôt.

— Le bal?» ai-je répété alors que Lars nous escortait à l'intérieur de la boutique de mode la plus select du monde entier.

Avant d'apprendre que j'étais princesse, l'idée d'y entrer ne me serait jamais venue à l'esprit. J'aurais eu trop peur. Mais je ne peux pas en dire autant de certaines de mes amies, comme Lilly. Elle a filmé une fois un épisode entier pour son émission de télé. Elle s'était barricadée à l'intérieur de la cabine d'essayage et a essayé toutes les dernières créations de Karl Lagerfeld. Il a fallu qu'un gars de la sécurité fracasse la porte pour qu'elle sorte. Une semaine après, Lilly expliquait dans *Lilly ne mâche pas ses mots* que les stylistes de la haute couture poussaient les femmes à l'anorexie en ne fabriquant pas de pantalon de cuir au-dessus de la taille 34.

«De quel bal parles-tu? ai-je demandé.

— Ta mère ne t'a rien dit?» a répliqué Grand-Mère, tandis qu'une femme immense aux cheveux rouges s'approchait de nous en s'écriant : «Vos Altesses Royales! Quel plaisir de vous revoir!

— Maman ne m'a pas parlé de ce bal, ai-je soufflé. C'est quand?

— Vendredi soir», a répondu Grand-Mère avant de se tourner vers la vendeuse à qui elle a dit : «J'ai

II
Mode

Triste mais vrai : on nous juge plus sur notre
apparence que sur notre « moi » profond.
Conséquence : le look est le clignotant incontournable
qui signale : *« Je suis un être d'exception. »*
L'uniforme imposé (c'est mon cas) simplifie la vie.
Sinon, bonjour la galère chaque matin ! Selon les
termes de Grand-Mère : « Une garde-robe scolaire
s'impose… Une princesse ne va pas au lycée dans la
même tenue qu'à un bal ou un dîner officiel où elle
sera mitraillée par les photographes, la télé, etc. »
Hélas, je me vois obligée de lui donner raison
sur ce point !
Je m'explique, avec un exemple.
Vous devez inaugurer un service pédiatrique, donation
de Votre Altesse à l'hôpital local. Vous vous pointez
emmitouflée dans votre vieux sweat-shirt chouchou…
Que vont en déduire médecins et patients,
à votre avis ?
Que vous vous fichez « royalement » d'eux !
D'où, incident diplomatique international
à l'horizon…
Contrairement à moi, vous avez la chance de pouvoir
sortir en jean où que vous alliez. Toutefois, même
pour le lycée, votre look doit s'efforcer de concilier
look d'enfer et confort divin.

Du bon usage de la tiare

L'accessoire essentiel d'une garde-robe princière est – évidemment – la tiare. Il existe un grand nombre de couvre-chefs étincelants, depuis le serre-tête décoratif jusqu'à la mitre papale bordée d'hermine. Toutefois, l'archétype royal le plus identifiable est la tiare. La position correcte se situe approximativement à 5 ou 6 cm de la naissance des cheveux. Trop près du front, vous ressemblez à une femme de Néandertal ; trop loin, on ne distingue pas l'accessoire en question sur les photos de presse.

On ne s'en coiffe jamais pour le petit déjeuner. En fait, il est déplacé de la porter avant onze heures du matin, hormis dans le cas de funérailles ou de mariages royaux.

En outre, on ne porte pas la tiare :

— pour la natation

— pour l'équitation

— pour le ski nautique

— sous un casque de chantier en cas de visite d'un édifice en construction

— lors d'un coup d'État

(*Il est déconseillé de sortir votre tiare de votre sac lorsque vous vous trouvez à bord d'un véhicule en mouvement ou d'un avion. En effet, elle pourrait vous échapper des mains et blesser l'œil d'un passager innocent. Quoique ça ne me soit jamais arrivé. Enfin, juste une fois.)

Assumer son physique

Comme nous l'avons vu dans notre dernière leçon (voir tome 3), en matière de physique, on est souvent complexée par ce qu'on a, tout en désirant ce qu'on n'a pas. Comment changer ça pour être en accord avec son reflet dans le miroir ? En misant sur les bonnes coupes ! Après avoir discuté du haut (voir tome 3), voyons comment être bien dans son pantalon quel que soit son physique.

« Ça m'ira jamais, chuis trop ronde ! »

Quand on a des formes, on a tendance à les cacher sous des vêtements larges. Erreur : non seulement on ne cache rien du tout, mais on s'interdit de porter bon nombre de vêtements, persuadées qu'ils ne nous iront pas. Or, certaines coupes qu'on met de côté sont au contraire idéales pour se sentir jolie sans en faire trop :
⟜ les jupes au genou : de forme trapèze ou droites, on les met souvent de côté en se disant que ça ne va pas aux rondes. Or, la plupart des jupes tombent bien mieux que n'importe quel pantalon…
⟜ côté pantalon, privilégie le duo bas évasé/poches plaquées haut ou mise sur les pantalons en matière fluide, qui donnent du mouvement à la silhouette.

Évite les jupes trop longues, qui tassent au lieu d'élancer.

« Ça m'ira jamais, chuis trop mince ! »

Au contraire, si tu es plutôt longiligne, tu pourras jouer de ta minceur en dotant ta garde-robe des alliés suivants :
⟜ les baggys multipoches : ils vont particulièrement bien aux physiques élancés
⟜ les jupes courtes

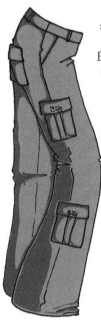

⌒ le tandem pantalon + jupe ou robe courte en superposition pour accentuer la finesse de la silhouette.

Évite les pantalons en matière stretch, qui ont du mal à s'adapter sans faux plis aux gambettes très fines.

Apprends également à utiliser les couleurs en connaissance de cause : le blanc et les couleurs lumineuses comme le jaune vif ou le vert anis accentuent le volume ; les coloris jean et les kakis clairs jouent la neutralité ; les coloris sombres comme le noir et le marron réduisent au contraire le volume.

Dans tous les cas, sache que ce n'est pas à toi de t'adapter au vêtement mais bien l'inverse : il suffit pour cela d'avoir une idée des formes les plus adaptées à ton physique. Expérimente, change de style, inspire-toi des trouvailles des autres et, peu à peu, tu trouveras le style qui correspond le mieux à ce que tu es…

fait mettre de côté des robes pour ma petite-fille. Et j'ai bien précisé, des robes blanches. » Grand-Mère m'a jeté un coup d'œil et a ajouté : « Tu es trop jeune pour porter du noir. Aussi, n'insiste pas, s'il te plaît. »

Ne pas insister à quel sujet ? Comment pouvais-je insister sur un sujet que je ne comprenais même pas ?

« Bien sûr, a répondu la vendeuse en souriant. Suivez-moi, Votre Altesse.

— Vendredi soir ? me suis-je écriée une fois que l'information est enfin parvenue à mon cerveau. Vendredi soir ? Grand-Mère, je ne peux pas aller à ce bal vendredi soir. Je suis déjà prise avec… »

Mais Grand-Mère a plaqué sa main dans mon dos et m'a poussée.

Et c'est comme ça que je me suis retrouvée à marcher derrière la vendeuse qui avançait, l'air de rien, comme si elle avait l'habitude d'être suivie par des princesses chaussées de Doc Martens.

Je suis de nouveau dans la limousine de Grand-Mère – elle me ramène au lycée –, et je ne peux penser qu'à une seule chose : au nombre de personnes que je peux remercier pour ce qui m'arrive. Ma mère, par exemple, qui a oublié de me dire qu'elle avait donné son accord à Grand-Mère pour me traîner à cette soirée ; la comtesse Trevanni, pour avoir eu l'idée d'organiser ce bal ; les vendeuses de chez Chanel, très gentilles, mais qui ne sont qu'une bande de vendues puisqu'elles ont justement réussi à vendre à Grand-Mère une robe blanche pour moi et donc à m'obliger à aller quelque part où je n'avais pas envie d'aller au départ ; mon père, pour lâcher sa mère dans Manhattan sans personne pour la superviser ; et bien sûr, Grand-Mère, pour me gâcher la vie.

Quand je lui ai dit pourquoi je ne pouvais pas assister au bal de la comtesse Trevanni vendredi soir, elle m'a fait tout un sermon comme quoi une princesse se devait de penser à son peuple avant tout. Les histoires de cœur venaient après.

J'ai essayé de lui expliquer que ce rendez-vous ne pouvait pas être remis à plus tard. Le Screen Room ne joue *La Guerre des étoiles* que ce soir-là puisque le prochain film est déjà programmé. C'est *Moulin Rouge,* mais je sais déjà que je n'irai pas le voir parce que j'ai entendu dire que quelqu'un mourait à la fin.

Mais Grand-Mère a refusé d'en entendre parler et a déclaré qu'il était hors de question que ma sortie avec Michael passe avant le bal de la comtesse. Apparemment, la comtesse Trevanni fait partie des plus anciennes familles royales d'Europe, sans compter que c'est également une cousine éloignée (qui ne l'est pas ?). Bref, si je n'assistais pas à son bal en même temps que les autres débutantes, ce serait considéré comme une faute grave dont la famille Renaldo risquerait de ne jamais se remettre.

III

Vie quotidienne

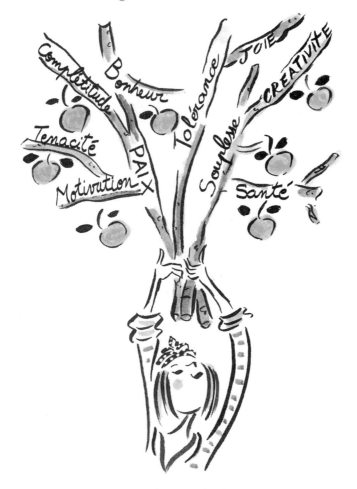

Une réflexion de Son Altesse Royale la princesse Mia
Vous êtes sans doute aussi surprise que je l'ai été
quand j'ai découvert qu'une princesse ne doit pas se
contenter d'être belle, bien élevée, bien sapée.
Elle a plein d'autres obligations… Genre : se montrer
généreuse envers ceux qui sont moins chanceux
qu'elle, se tenir au courant des problèmes sociaux, etc.
Ce type de comportement entre dans la rubrique :
«vie quotidienne».
Nul besoin d'être née dans une famille royale pour
avoir bon caractère.
Je connais des tas de personnes qui n'ont rien – mais
rien – de royal ! Elles sont pourtant bourrées de
qualités carrément princières.
Entre autres, elles s'évertuent à s'autoréaliser à fond.
En quoi ça consiste exactement, me direz-vous ?
Eh bien, j'avoue que c'est un peu obscur pour moi
aussi. Alors – pour m'orienter et vous orienter, au
mieux, dans cette voie – j'ai recueilli des tuyaux auprès
de quelques spécialistes.

Comment être une bonne spectatrice

par Lilly Moscovitz, boulimique de cinéma,
sortant avec un mec qui respire par la bouche

crunch
crunch
crunch

Soyons clair : il n'y a RIEN de plus exaspérant que de payer dix dollars (davantage, si vous vivez au Canada ou si vous avez acheté du pop-corn et du soda) pour vous retrouver dans une salle de cinéma au milieu de gens qui parlent fort et bourrent votre fauteuil de coups de pied pendant toute la séance. Ce type de comportement ne correspond pas du tout à celui d'une princesse. Ce n'est même pas digne d'un être humain.

Lorsque des personnes se rassemblent dans un lieu public pour un événement sportif, un film, un concert, ils ont en principe pris un billet pour se distraire. Il est donc très mal élevé de gâcher leur plaisir en :

— mâchant bruyamment des chewing-gums

⌒ braillant en face de l'écran (d'accord, ça peut être drôle lors de la projection d'un film d'horreur ou autre, mais PAS TOUT LE TEMPS)

⌒ répondant à des appels sur le portable

⌒ bavardant fort

⌒ criant des obscénités aux supporters de l'équipe adverse

⌒ ou en FUMANT

Un mot à ceux qui respirent par la bouche : d'accord, vous souffrez d'une déviation de la cloison nasale. Et alors, est-ce une raison suffisante, HEIN??? Pourriez-vous ESSAYER de serrer les lèvres et de respirer par le nez??? SVP!!!

On vit tous sur la même planète. Autant ne pas se mettre mutuellement sur les nerfs.

Teste-toi avec  TÉLÉ POCHE

Pour quelle émission de télé réalité es-tu faite ?

1) Quelle est ta vision des vacances idéales ?
◊ Camper en pleine nature.
Ø Se reposer à la plage.
∞ Participer à un stage sportif.

2) Partir en classe de découverte, pour toi, c'est :
◊ Super passionnant.
∞ Super marrant.
Ø Super déprimant.

3) Quelle est ton activité préférée ?
∞ Écouter des disques et reproduire les chorégraphies de tes stars préférées.
Ø Regarder tranquillement la télé.
◊ T'adonner à des loisirs créatifs, comme le dessin ou la peinture.

4) Quel est ton pire cauchemar ?
Ø Te mettre au balcon du dernier étage d'un gratte-ciel.
◊ Rester coincée dans un ascenseur.
∞ Devoir affronter une colonie d'araignées.

5) Quel est l'accessoire dont tu ne peux te passer au quotidien ?
◊ Ton lecteur CD.
Ø Ton sèche-cheveux.
∞ Ton téléphone portable.

6) À l'école, tu excelles plutôt :
◊ En sciences et arts plastiques.
∞ En sport et musique.
Ø En français et histoire-géo.

7) Tu invites des amies à la maison. Quel est le programme ?
∞ Une petite fête improvisée dans ta chambre sur fond de tubes de Lorie.
◊ Une grande chasse au trésor dans le jardin.
Ø Une projection du film *La Beuze* avec Michael Youn.

8) Enfant, tu avais envie de devenir :
∞ Actrice.
Ø Princesse.
◊ Aventurière.

9) Côté sport, tu es plutôt du genre :
∞ à te lancer à fond dans un sport et à participer à toutes les compétitions.
◊ à pratiquer plusieurs disciplines régulièrement.
Ø à ne suivre que cours d'EPS dispensés à l'école, car ils sont obligatoires.

10) Quelle est ta série préférée ?
Ø « Friends ».
∞ « Un, dos, tres ».
◊ « Alias ».

Tu totalises un maximum de ◊
Toi, ton truc, c'est l'aventure ! Avide de nature, de grands espaces et de sensations fortes, tu trouverais parfaitement ta place dans des émissions telles que « Koh-Lanta » et « Fear Factor ». Alors, plutôt Boro ou Machiga ? Peu importe, car comme tu le sais, l'important, c'est de participer.

Tu totalises un maximum de ∞
Mais qu'attends-tu pour te présenter aux castings de « Star Academy », « Popstars », ou « Nouvelle Star » ? D'avoir l'âge requis peut-être... Car tu sembles avoir tous les atouts pour devenir, à ton tour, une star de la chanson. Attention, lorsque tu vas débarquer sur les plateaux, les apprenties Jenifer et autres clones de Nolwenn n'auront qu'à bien se tenir !

Tu totalises un maximum de Ø
Prendre le temps de se laisser vivre. Telle est ta devise. Beaucoup plus passionnée par les relations humaines que par les activités physiques, tu affectionnes particulièrement les soirées vidéo entre amis. Une personnalité qui ferait de toi une candidate idéale pour « Nice People » ou « Les colocataires ».

Je lui ai fait remarquer que, si je n'allais pas voir *La Guerre des étoiles* avec Michael, ce serait considéré comme une faute grave dont ma relation avec mon petit ami risquerait de ne jamais se remettre. Mais Grand-Mère m'a rétorqué que, si Michael m'aimait vraiment, il comprendrait que j'étais obligée d'annuler.

« Et sinon, a continué Grand-Mère en tirant sur sa cigarette, cela prouvera qu'il n'a rien d'un éventuel prince consort. »

C'est facile pour Grand-Mère de dire ça. Elle n'est pas amoureuse de Michael depuis des années. Elle ne passe pas des heures à écrire des poèmes sur lui. Elle ne sait pas ce qu'aimer veut dire, puisque la seule personne qu'elle a jamais aimée, c'est elle-même.

Le chauffeur est en train de se garer devant l'école, ce qui signifie que dans moins de cinq minutes, je vais devoir expliquer à Michael que je ne viendrai pas vendredi soir car je risquerais de provoquer un incident international dont le pays que je gouvernerai un jour pourrait ne jamais se remettre.

Pourquoi Grand-Mère ne m'a-t-elle pas plutôt envoyée dans un pensionnat du Massachusetts ?

Mercredi 21 janvier, pendant l'étude dirigée

Je n'ai pas osé le lui dire.

Comment aurais-je pu? Surtout qu'il s'est montré si gentil avec moi pendant le déjeuner. Apparemment, tout le monde à l'école savait que Grand-Mère était venue me chercher. Cela dit, avec sa cape en chinchilla, ses sourcils dessinés et Rommel à ses côtés, comment aurait-elle pu passer inaperçue? Elle est aussi peu discrète que Cher.

Bref, comme mon père était censé être malade, tout le monde était aux petits soins pour moi. Michael plus que les autres. Il n'arrêtait pas de me demander s'il pouvait faire quelque chose pour moi, si j'avais besoin d'aide en maths, etc.

Aussi, comment aurais-je pu lui dire la vérité : que mon père n'était pas malade du tout mais que ma Grand-Mère était venue me chercher en plein milieu de la journée pour aller faire du *shopping*? Pour m'acheter en plus une robe que je devais porter à un bal auquel j'étais invitée le soir même où on avait prévu de s'envoler dans une autre galaxie?

Je n'ai pas réussi à le lui dire. Je n'ai réussi à le dire à personne. Je suis restée assise sans parler pendant tout le déjeuner. Autour de moi, on pensait évidemment que c'était à cause de la terrible épreuve que j'étais en train de vivre. Ce qui était le cas, sauf qu'il s'agissait d'une épreuve différente. Alors que j'étais assise devant mon assiette sans rien dire, une phrase résonnait dans ma tête, et c'était : JE HAIS MA GRAND-

MÈRE. JE HAIS MA GRAND-MÈRE. JE HAIS MA GRAND-
MÈRE. JE HAIS MA GRAND-MÈRE. JE HAIS MA GRAND-
MÈRE.

Je la hais vraiment.

Dès la fin du repas, j'ai filé jusqu'à la cabine téléphonique à l'extérieur de l'auditorium et j'ai appelé
la maison. Je savais que ma mère serait là parce qu'elle
n'a pas fini sa fresque sur les murs de la chambre du
bébé. Elle en est au troisième mur, pour lequel elle a
choisi de représenter la chute de Saigon.

«Oh, Mia, a-t-elle dit quand je lui ai demandé si
elle n'avait pas oublié de me parler de quelque chose.
Je suis désolée. Ta Grand-Mère a appelé pendant *Anna
Nicole*. Tu sais comment je suis pendant *Anna Nicole*.

— Maman, pourquoi tu lui as donné ton accord
pour ce stupide bal? ai-je marmonné entre mes
dents. Tu m'as dit que je pouvais sortir avec Michael!

— Moi?» s'est exclamée ma mère, sincèrement
étonnée. Et c'était vrai. Elle ne se souvenait pas de la
conversation qu'on avait eue toutes les deux au sujet
de ma sortie avec Michael... essentiellement parce
qu'elle dormait comme une souche à ce moment-là.
Mais je n'allais certainement pas le lui rappeler. Ce
qui comptait, c'est qu'elle se sente horriblement cou-
pable pour son crime odieux.

«Oh, ma chérie, je suis absolument désolée, a-t-elle répété. Tu vas devoir annuler Michael. Je suis sûre qu'il comprendra.

— Non, maman! me suis-je écriée. Il ne comprendra pas! C'était censé être notre premier vrai rendez-vous! Il faut que tu fasses quelque chose!

— Eh bien, a dit ma mère d'un ton légèrement ironique, je suis surprise de ta réaction, étant donné que tu avais décidé de ne pas courir après lui. Annuler ton premier rendez-vous correspond tout à fait à ta stratégie à l'égard des garçons.

— Très drôle, maman, ai-je répliqué. Mais jamais Jane n'annulerait un premier rendez-vous avec Mr. Rochester. Parce qu'elle ne l'aurait tout simplement pas appelé avant ou ne l'aurait pas laissé l'embrasser.

— Oh, a fait ma mère.

— Écoute-moi, ai-je repris. C'est sérieux. Débrouille-toi pour que je n'assiste pas à ce stupide bal.»

Mais tout ce que ma mère a trouvé à me répondre, c'est qu'elle allait en parler à mon père. Je savais déjà ce que ça voulait dire : il était hors de question que je n'aille pas à ce bal. Mon père n'a jamais renoncé à son devoir par amour. En ça, il est très princesse Margaret.

Résultat, je suis assise à cette table et je fais des maths comme d'habitude parce que je n'ai aucun don particulier à développer, tout en sachant qu'à un moment ou à un autre, je vais devoir annoncer à Michael que ça ne marche pas pour vendredi. Mais comment le lui annoncer ? Et s'il ne me proposait plus jamais de sortir avec lui tellement il m'en veut ?

Pire. S'il demandait à une autre fille de l'accompagner ? Une fille qui connaîtrait toutes les répliques de *La Guerre des étoiles* qu'on est censé crier pendant la projection. Comme quand Ben Kenobi dit : «Obi Wan. Voilà un nom que je n'ai pas entendu depuis longtemps», et que nous, on crie : «Depuis quand ?» et que Ben Kenobi répond : «Très longtemps. »

Il doit bien y avoir des milliers de filles qui les connaissent. Michael pourrait demander à n'importe qui et passer une soirée délicieuse. Sans moi.

Lilly n'arrête pas de me harceler pour savoir ce qui ne va pas. C'est au moins le dixième petit papier qu'elle glisse sur ma table. Comme ils sont en train de désinfecter par fumigation la salle des profs, Mrs. Hill est là aujourd'hui. Elle fait mine de corriger des copies quand en réalité elle coche ce qu'elle va commander dans son catalogue par correspondance. Je l'ai vu dépasser de son cahier de notes.

Voilà en gros le contenu de notre échange, à Lilly et à moi :

Lilly : *Est-ce que ton père est super malade ? Vas-tu devoir retourner à Genovia ?*

Moi : Non.

Lilly : *C'est son cancer ? Il a récidivé ?*

Moi : Non.

Lilly : *Qu'est-ce que tu as, alors ?* (à partir de ce moment-là, l'écriture de Lilly est devenue très serrée, signe qu'elle commençait à s'énerver). *Pourquoi tu ne veux pas me le dire ?*

J'ai eu envie de lui répondre, et en lettres capitales : parce que la vérité provoquerait la fin imminente de ma relation amoureuse avec ton frère, et que je ne pourrais pas le supporter ! Ne vois-tu pas que je ne peux pas vivre sans lui ?

Mais je n'ai pas pu. Parce que je n'étais pas encore prête à renoncer. Ne suis-je pas une Renaldo, après tout ? Et est-ce que les princesses de la famille Renaldo renoncent quand elles tiennent à quelque chose ou à quelqu'un ?

Non. Elles ne renoncent pas. Elles se battent. Prenez mes ancêtres, Agnès et Rosagunde. Agnès s'est jetée d'un pont pour obtenir ce qu'elle voulait (ne pas finir bonne sœur). Et Rosagunde a étranglé un type avec ses propres cheveux (parce qu'elle ne voulait pas coucher avec lui). Est-ce que moi, Mia Thermopolis, j'allais laisser une toute petite chose comme le bal de la comtesse Trevanni faire obstacle à mon premier rendez-vous avec l'homme que j'aime ?

Non.

Peut-être que c'était ça, mon talent ? La pugnacité que j'ai héritée des princesses Renaldo ?

Frappée par cette soudaine prise de conscience, je me suis empressée d'écrire à Lilly :

Est-ce que mon talent, comme mes ancêtres avant moi, c'est d'être pugnace ?

J'ai attendu sa réponse en haletant. Même si je ne savais pas très bien ce que j'allais faire si Lilly me répondait par l'affirmative. Vous parlez d'un talent ! Être pugnace ne permet pas de gagner de l'argent comme quand on est doué pour jouer du violon, écrire des chansons ou produire une émission de télévision pour une chaîne câblée.

Mais bon, j'aurais bien aimé savoir si j'avais enfin trouvé mon talent. Histoire de grimper dans l'arbre jungien de l'autoréalisation.

Mais la réponse de Lilly m'a beaucoup déçue.

Non, ton talent, ce n'est pas d'être pugnace, banane. Ce que tu peux être bouchée, parfois. QU'EST-CE QUI SE PASSE AVEC TON PÈRE ?????

J'ai compris que je n'avais pas le choix et j'ai écrit :

Rien. Ma Grand-Mère voulait juste m'emmener chez Chanel, alors, elle a raconté à la principale que mon père était malade.

Lilly m'a répondu : *Pas étonnant que tu aies l'air d'avoir avalé une chaussette. Elle craint un max, ta Grand-Mère.*

Je ne pouvais pas être plus d'accord.

Si seulement Lilly savait à quel point je suis de son avis !

Mercredi 21 janvier
Dans la cage d'escalier du lycée, entre le deuxième
et le troisième étage

Réunion d'urgence des adeptes de la méthode Jane Eyre concernant les garçons. On risque de se faire choper à tout moment. On a séché le cours de français pour se réunir ici, dans la cage d'escalier qui mène au toit du lycée (la porte est fermée, évidemment. Lilly m'a raconté que dans le film sur ma vie, les élèves montent tout le temps sur le toit, preuve selon elle que l'art n'est pas une imitation de la vie.) Bref, on est là pour venir en aide à nos sœurs dans le besoin.

Tout à fait. Il se trouve que je ne suis pas la seule pour qui le deuxième trimestre a mal commencé. Non seulement Tina s'est foulé la cheville sur les pistes d'Aspen, mais Dave El-Farouq vient de lui envoyer le texto suivant : PUISQUE TU NE M'AS PAS

RAPPELÉ, J'AI INVITÉ JASMINE À VENIR VOIR LE MATCH DES RANGERS. AMUSE-TOI BIEN.

C'est le texto le plus cruel que j'aie jamais lu. C'est simple, mon sang s'est glacé dans mes veines lorsque Tina me l'a montré.

« Sale macho, a déclaré Lilly quand elle l'a lu à son tour. Laisse tomber, Tina. Il n'en vaut franchement pas la peine. Tu mérites mieux.

— Mais je ne veux personne d'autre, a sangloté Tina. C'est Dave que je veux ! »

J'en ai le cœur brisé de la voir autant souffrir. Et il ne s'agit pas uniquement d'une souffrance morale : ça été une véritable torture pour Tina de grimper jusqu'au troisième étage avec ses béquilles.

Je lui ai promis de rester avec elle pendant qu'elle essaie d'analyser son chagrin (Lilly lui fait passer le test « Après une rupture » d'Elizabeth Kubler-Ross :

Déni : Je n'arrive pas à croire qu'il m'ait fait un coup pareil.

Pari : Peut-être que si je lui jure de l'appeler tous les soirs, il me reprendra.

Colère : Jasmine est probablement un gros tas qui embrasse sur la bouche dès le premier rendez-vous.

Dépression : Je n'aimerai plus jamais.

Résignation : Après tout, c'est vrai qu'il était égoïste.

C'est sûr qu'en restant auprès de Tina au lieu d'être en français, je risque de me faire renvoyer puisque c'est la sanction, à Albert-Einstein, quand on sèche un cours.

Mais bon. Qu'est-ce qui est plus important ? Mes amies ou mon dossier scolaire ?

Par ailleurs, Lars fait le guet, en bas de l'escalier. Si Mr. Kreblutz, le surveillant général, vient à passer, Lars est censé siffler l'hymne de Genovia et nous, nous plaquer contre le mur, à côté des vieux tapis de gym. (Qu'est-ce qu'ils sentent mauvais ! En plus, je suis sûre que c'est une matière inflammable.)

Bien que je sois très triste pour Tina, je ne peux m'empêcher de tirer une leçon de ce qui lui arrive, à savoir que la méthode Jane Eyre n'est pas nécessairement la plus fiable pour garder son petit ami. La preuve : Dave a cassé avec Tina parce qu'elle avait arrêté de l'appeler.

Pourtant, d'après Grand-Mère, qui a réussi à garder son mari pendant quarante ans, le moyen le plus rapide de faire fuir un garçon, c'est de lui courir après.

Il faut reconnaître que Lilly – celle parmi nous qui sort depuis le plus longtemps avec le même garçon – ne court certainement pas après Boris. Ce serait plutôt *lui* qui lui court après. Mais Lilly est tellement occupée

IV

L'univers insondable des garçons

Note de son Altesse Royale, la princesse Mia

Alors, vous l'avez enfin trouvé, votre Prince charmant… Ou, au moins, il y a un mec sur qui vous flashez. Vous brûlez du désir de le connaître de façon plus intime. Mais vous ne savez pas trop comment vous y prendre, bref vous flippez… Et s'il vous envoyait sur les roses ? Bonjour l'humiliation ! Rassurez-vous. Voici des conseils précieux pour attirer son attention sans que votre adoration béate le fasse détaler tel un faon aux abois. Des conseils béton, fondés sur l'expérience. En effet, j'ai confié ce passage à une experte en la matière. Elle a lu au moins un millier de romans d'amour. Il s'agit de Tina Hakim Baba, ma copine de lycée.

Alors, il vous a larguée. . .

Ça arrive à n'importe qui. Même à des stars de cinéma aussi fabuleuses que Nicole Kidman. Même à des princesses.

Voici comment je vous conseille de réagir en attendant que votre pauvre cœur brisé recolle ses morceaux.

Jetez-vous à fond dans une activité sympa. Inscrivez-vous au groupe de théâtre du lycée, devenez bénévole à la SPA locale, mettez-vous au karaté, dénichez un job de baby-sitter et abrutissez-vous en regardant des dessins animés avec les enfants. Faites n'importe quoi – N'IMPORTE QUOI – pour libérer votre esprit de ce type qui vous hante.

Je ne vous promets pas que ça suffira. Au moindre aperçu de sa silhouette dans un couloir – c'est inévitable – votre cœur sera poignardé au fer rouge. Pourtant, à la longue, la douleur va s'amenuiser.

Le jour où vous réaliserez que vous ne souffrez plus du tout, et où vous découvrirez que cet autre mec – le type qui vous a toujours plu mais qui semblait ignorer jusqu'à votre existence – vous aimait en secret depuis tout ce temps… Ce jour-là, vous tomberez dans les bras l'un de l'autre et vivrez heureux à jamais.

Les conseils de Claire de

Il vous a plaquée comment l'oublier !

Vous viviez une grande histoire d'amour avec l'élu de votre cœur… et voilà que votre meilleure amie (qui ne l'est plus d'ailleurs) vous subtilise votre amoureux lors d'une fête ou plutôt du piège qu'elle a organisé, la traîtresse. Et lui, tombe dans le panneau ou plus exactement dans ses bras… Le mufle ! Alors là pas question de se laisser humilier. La tête haute vous allez surmonter cette épreuve même si vous êtes prête à étriper l'un et arracher les yeux de l'autre : il va falloir faire preuve de self contrôle. Alors commencer par lâcher… par reposer sur la table le vase de votre mère. Le fracasser sur la tête de votre ex-chéri ne vous mènerait à rien sinon à une sévère réprimande maternelle ! Il va falloir vous persuader que votre EX-chéri (prenez déjà de bonnes habitudes !) donc votre Ex-chéri, mufle à ses heures, n'était pas si épatant que ça !

Faites la liste de ses défauts (les qualités ne nous intéressent pas !). Grand nez, bégaiements, mains moites, strabisme, chemises immondes, haleine de chacal, odeur de poney… Finalement vous pouvez remercier votre meilleure amie !

Notez ses côtés exaspérants : sa façon de mâcher son chewing-gum, ou son habitude de vous appeler devant toutes vos copines par un sobriquet ridicule : ma crevette, la prunelle de mes yeux, mon oiseau des îles… c'est bien FINI !

Trêve de plaisanterie, votre petit cœur saigne et vous devez agir pour oublier ce garçon !

Deuxième réflexe après l'attaque au vase, c'est de vouloir rester seule la tête enfouie dans votre oreiller à pleurer toutes les larmes de votre corps. Et là petite princesse je vous conseille au contraire de voir du monde : pour vous changer les idées d'une part et surtout pour montrer au mufle et à la traîtresse d'autre part, combien vous surmontez la situation dignement : non mais !

Une soirée entre filles s'impose! Alors organisez au plus vite **Une Soirée Pyjama!**

Notez bien les astuces ci-dessous pour ne pas rater votre séance de règlement de compte!

* **Astuce N° 1 :** tout d'abord il faut penser aux indispensables cartes d'invitation : ben oui, faut bien prévenir les copines de La Soirée : alors imaginez des cartes rigolotes.

* **Astuce N° 2 :** prévoyez plein de petites choses à grignoter : quand on vit un chagrin d'amour il faut combler un manque : donc pop-corn, bonbons, gâteaux à volonté

* **Astuce N° 3 :** l'indispensable cassette vidéo à regarder : un film d'amour mais dans votre cas un film de kung fu est mieux adapté!

* **Astuce N° 4 :** demandez à vos copines d'apporter des photos d'elles quand elles étaient petites : fous rires garantis et c'est bon pour le moral! Et l'indispensable

* **Astuce N° 5 :** l'accroche-porte avec un message : Soirée Privée interdite aux Parents! Il ne manquerait plus que vos parents apprennent votre rupture en écoutant aux portes! Déjà que votre mère se doute de quelque chose : je vous avais dit de poser le vase!

La soirée pyjama est le remède au chagrin d'amour! Vous pourrez ainsi déverser votre venin sur votre ex-chéri et déblatérer sur votre ex-meilleure amie! Après avoir costardé votre ex-petit ami, vous apprendrez entres autres que **a)** vos amies le détestaient et que, **b)** il avait dragué quatre d'entre elles! Vos amies vous apporteront un soutien inattendu notamment en vous apprenant qu'un petit nouveau ou plutôt un « dieu vivant » avait intégré le collège! Ben oui, ça fait quinze jours que vous pleurez dans votre oreiller alors que plein de beaux garçons sont prêts à vous ouvrir leur cœur. Alors c'est promis, lundi vous passez à l'attaque!

par ses nombreux procès et projets qu'elle ne peut lui accorder que le minimum d'attention requise.

Quelque part entre les deux – Grand-Mère et Lilly –, il doit y avoir un juste milieu pour réussir sa relation avec un homme. J'ai intérêt à m'accrocher à cette idée parce que je vous le dis tout net : si un jour je reçois un texto de Michael comme celui que Dave a envoyé à Tina, je me jette du pont Tappen Zee. Et ça m'étonnerait qu'un gentil capitaine me repêche – du moins, en un morceau. Le pont Tappan Zee est bien plus haut que le pont des Vierges.

Et évidemment, vous savez ce que ça signifie, je veux dire cette histoire avec Tina et Dave. Ça signifie que je ne peux pas annuler ma sortie avec Michael. C'est impossible. Tant pis si la famille Renaldo est bannie de toutes les cours du monde entier : je n'irai pas à ce bal, un point c'est tout. Grand-Mère et la comtesse Trevanni vont devoir apprendre à vivre avec leurs déceptions.

Quand il s'agit de nos hommes, nous, les femmes Renaldo, on ne fait pas n'importe quoi. On joue serré.

Devoirs :

Maths : pbs début chap. 11, PLUS??? je ne sais pas, grâce à Grand-Mère

Anglais : mettre à jour mon journal (comment j'ai passé mes vacances de Noël en 500 mots), PLUS??? je ne sais pas, grâce à Grand-Mère

Bio : lire chap. 13, PLUS??? je ne sais pas, grâce à Grand-Mère

Étude dirigée : trouver mon talent secret

Français : chap. 10, PLUS??? je ne sais pas vu que j'ai séché!!!

Éduc. civique : chap. 13

Alors que je ne parviens pas à trouver quel est mon talent secret – encore faudrait-il que j'en aie un –, celui de Grand-Mère saute aux yeux : Clarisse Renaldo est la personne la plus douée sur terre pour me gâcher la vie. De toute évidence, c'est même son but dans l'existence. Elle ne peut pas supporter Michael. Non pas, bien sûr, parce qu'il lui a fait quelque chose, sauf rendre sa petite-fille superbement, sublimement heureuse. Non, Grand-Mère n'aime pas Michael parce que Michael n'est pas de sang royal.

Comment je le sais? Eh bien, ça m'a frappée quand je l'ai retrouvée dans sa suite aujourd'hui, pour ma leçon de princesse, et que j'ai vu, tout juste de retour d'une partie de tennis au club d'athlétisme de New York, la raquette encore à la main et faisant très André Agassi : le prince René.

« Qu'est-ce que tu fais ici, TOI? lui ai-je demandé sur un ton que Grand-Mère m'a par la suite reproché (il paraît que ma question était déplacée et laissait entendre que je soupçonnais René de sournoiserie, ce qui est bien entendu faux).

— Je suis venu visiter ta ville adorée », a répondu René avant de se retirer pour prendre une douche parce que, comme il l'a si bien fait remarquer, il sentait un peu le fauve après sa partie de tennis.

« Franchement, Amelia, est-ce une façon d'accueillir ton cousin ? a grondé Grand-Mère dès qu'il est sorti.

— Pourquoi il n'est pas à l'école ? ai-je demandé.

— Sache, pour ta gouverne, qu'il est en vacances, a répliqué Grand-Mère.

— Encore ? » me suis-je exclamée.

Quel genre d'école de commerce – même française – a des vacances de Noël qui vont pratiquement jusqu'en février ?

« Les écoles européennes ont toujours eu des vacances d'hiver plus longues qu'aux États-Unis afin que les étudiants puissent profiter pleinement de la saison de ski, m'a expliqué Grand-Mère.

— Je n'ai pas remarqué que René portait des skis, ai-je déclaré.

— Pfuit ! a fait Grand-Mère. René en avait assez des pistes, cette année. Par ailleurs, il adore Manhattan. »

Ce que je pouvais comprendre. New York est quand même LA ville entre toutes les villes. Par exemple, l'autre jour, un ouvrier du bâtiment qui travaillait sur la 42e Rue a trouvé un rat de dix kilos !

C'est-à-dire qu'il faisait à peine deux kilos et demi de plus que Fat Louie! Jamais on ne trouverait un rat de dix kilos à Paris ou à Hong Kong.

Bref, Grand-Mère me dressait la liste de toutes les personnes que je rencontrerais au bal de la comtesse, y compris la cuvée de débutantes de cette année, c'est-à-dire les filles des personnalités en vue qui allaient faire leurs premiers pas dans la Société avec un grand S, avec l'espoir de se trouver un mari, quand, tout à coup, la solution à mon problème s'est imposée à moi :

Pourquoi Michael ne m'accompagnerait-il pas au bal de la comtesse ?

Bon, d'accord, ça n'avait rien à voir avec *La Guerre des étoiles* et il faudrait qu'il porte un smoking. Mais au moins, on serait ensemble. Au moins, je pourrais lui donner son cadeau d'anniversaire ailleurs que dans l'enceinte du lycée Albert-Einstein. Je ne serais pas non plus obligée d'annuler notre rendez-vous, et Genovia resterait en bons termes avec les autres cours européennes.

Mais comment faire pour que Grand-Mère accepte ? Pas une seule fois elle n'avait mentionné que je pourrais venir accompagnée au bal de la comtesse.

Et les autres débutantes ? Seraient-elles avec un cavalier ? N'était-ce pas à ça que servait l'école militaire de West Point ? Fournir des cavaliers aux débutantes ? Du coup, si ces filles avaient le droit de venir avec leur petit copain, pourquoi pas les princesses ?

Comme ça n'allait pas être simple d'obtenir son accord, surtout après toutes ces discussions selon lesquelles il ne fallait jamais laisser l'objet de son affection deviner la profondeur de ses sentiments, j'ai décidé d'user du tact diplomatique que Grand-Mère avait eu tant de mal à m'inculquer.

« Très important, Amelia, ne fixe surtout pas le visage de la comtesse, était en train de me dire Grand-Mère tout en passant une épingle à cheveux dans la fourrure plus qu'éparse de Rommel (c'est le véto de Genovia qui lui a dit de faire ça). Je sais que cela ne sera pas facile. Elle en est à son dixième lifting et on a vraiment l'impression que le chirurgien a saboté son travail cette fois-ci. Mais bon, il paraît qu'Elena est très contente. Apparemment, elle a toujours voulu ressembler à un tamanoir…

— Au fait, Grand-Mère… l'ai-je brusquement coupée. Tu crois que la comtesse ne dira rien si… si j'amène quelqu'un ? »

Grand-Mère m'a regardée d'un air interrogateur.

« Que veux-tu dire par là ? Amelia, je ne pense pas que ta mère s'amuserait beaucoup dans ce genre de réception. Premièrement, parce que les hippies ne sont pas vraiment la tasse de thé de la comtesse et…

— Je ne parlais pas de maman, ai-je corrigé en me disant que j'avais peut-être été *trop* subtile. Je pensais à… un cavalier.

— Mais tu en as déjà un ! s'est exclamée Grand-Mère en ajustant le collier de diamants de Rommel.

— J'en ai déjà un ? » ai-je répété.

Quand avais-je demandé à quelqu'un de me trouver un gars de West Point ?

« Bien sûr, a fait Grand-Mère, et je suis sûre qu'elle évitait de croiser mon regard. Le prince René a très gentiment offert de t'accompagner au bal. À présent, où en étions-nous ? Ah oui, le goût vestimentaire de la comtesse. Tu comprends maintenant qu'il vaut mieux t'abstenir de tout commentaire sur son physique et donc sur sa toilette. Mais sache qu'elle a tendance à porter des tenues un peu jeunes pour son âge, et que donc…

— *René* va m'accompagner ? ai-je déclaré en me levant si brusquement que j'ai failli renverser le Sidecar de Grand-Mère. *René* sera mon cavalier au bal ?

— Eh bien, oui, a répondu Grand-Mère d'un air innocent, un peu trop innocent, si vous voulez mon avis. Après tout, il n'est pas d'ici, il ne connaît pas ce pays, finalement. Aussi, ai-je pensé que tu serais contente de t'occuper de lui…

— Qu'est-ce que tu es en train de manigancer ? ai-je demandé en plissant les yeux. Tu cherches à nous marier ou quoi ?

— Certainement pas ! » s'est exclamée Grand-Mère, l'air sincèrement consternée par une idée pareille.

Mais je me méfiais, parce que je me suis déjà fait avoir par cette expression que Grand-Mère prend quand elle veut se faire passer pour une pauvre vieille femme sans défense.

«Tu as manifestement hérité de l'imagination de ta mère, a-t-elle continué. Ton père n'en a jamais eu, grâce à Dieu, je dois dire, parce que je ne l'aurais pas supporté.

— Qu'est-ce que je suis censée penser, alors?» ai-je demandé.

J'avoue que j'étais légèrement honteuse de mon éclat. Je n'avais pas encore quinze ans, et l'idée que Grand-Mère puisse organiser mon mariage avec un prince était effectivement un peu exagérée. Même pour Grand-Mère.

«Tu t'es arrangée pour qu'on danse ensemble, lui ai-je rappelé.

— C'était pour une photo de magazine, s'est-elle défendue.

— Et tu n'aimes pas Michael, non plus, ai-je poursuivi.

— Je n'ai jamais dit que je ne l'aimais pas, a-t-elle répliqué. D'après ce que je sais de lui, ce doit être un garçon charmant. Je veux seulement que tu sois réaliste, Amelia : tu n'es pas comme les autres filles. Tu es princesse et tu dois penser à ton pays.

— René débarque comme par hasard, et toi, tu m'annonces qu'il m'accompagnera au bal de la comtesse, ai-je dit.

— J'aimerais que ce pauvre garçon passe un séjour agréable à New York, est-ce mal de ma part?

s'est interrogée Grand-Mère. Il a déjà beaucoup souffert. Permets-moi de te rappeler qu'il a été dépossédé de la maison de ses ancêtres, sans parler de son royaume.

— Mais Grand-Mère, René n'était même pas né quand sa famille a été chassée d'Italie! me suis-je exclamée.

— Raison de plus pour compatir à son sort», a répondu Grand-Mère.

Super.

Qu'est-ce je vais faire, maintenant? Par rapport à Michael, je veux dire. Je ne peux tout de même pas aller à ce bal avec le prince René *et* Michael. Je passe déjà pour quelqu'un de suffisamment bizarre avec mes cheveux qui ont à moitié repoussé et mon côté androgyne (quoique, d'après la description de Grand-Mère, la comtesse m'a l'air encore plus bizarre que moi). Ce n'est peut-être pas la peine d'en rajouter en arrivant avec deux cavaliers et un garde du corps.

J'aimerais mieux être la princesse Leia que la princesse Mia et partir sur l'Étoile noire au lieu d'aller à ce bal.

Mercredi 21 janvier, à la maison

Maman n'a pas réussi à joindre papa au sujet du bal de la comtesse.

Apparemment, le débat sur les parcmètres a semé la zizanie au sein du gouvernement. Le ministre du

Tourisme a décidé de faire obstruction en réponse à l'obstruction du ministre des Finances. Résultat, il n'y a pas de vote possible tant qu'il parlera à la tribune. Ça fait douze heures et quarante-huit minutes qu'il parle. Je ne comprends pas pourquoi mon père ne le fait pas arrêter et enfermer dans le donjon.

J'ai bien peur de ne pas pouvoir échapper à ce fichu bal.

« Tu ferais mieux de prévenir Michael que tu as un empêchement vendredi, m'a conseillé ma mère en passant la tête par la porte de ma chambre. Hé ? Tu es encore en train d'écrire ton journal ? Je croyais que tu faisais tes devoirs. »

Histoire de parler d'autre chose que de mes devoirs (je tiens toutefois à préciser que j'étais en train de les faire ; je me suis juste accordé une petite pause), j'ai dit :

« Maman, je ne dirai rien du tout à Michael tant qu'on n'aura pas de nouvelles de papa. Ce n'est pas la peine de risquer une rupture avec Michael si papa m'annonce demain, par exemple, que je ne suis pas obligée d'aller au bal.

— Voyons, Mia, a déclaré ma mère. Michael ne va pas rompre parce que tu as des obligations familiales auxquelles tu ne peux échapper.

— Je n'en suis pas si sûre, ai-je répondu sombrement. Dave El-Farouq a rompu avec Tina parce qu'elle ne le rappelait pas quand il lui laissait un message.

205

— Ça n'a rien à voir, a fait ma mère. C'est tout simplement mal élevé de ne pas rappeler.

— Maman!» ai-je dit.

Je commençais à en avoir un peu assez de lui expliquer toujours la même chose. Comment ma mère a-t-elle fait avec mon père et ensuite avec Mr. Gianini étant donné qu'elle ne comprend rien aux hommes?

«Si tu es trop disponible, le garçon peut penser que c'est trop facile de faire ta conquête», ai-je énoncé.

Ma mère m'a regardée d'un air intrigué.

«Attends. Laisse-moi deviner. C'est ta Grand-Mère qui t'a dit ça? a-t-elle demandé.

— Hum hum, ai-je fait.

— Eh bien, permets-moi te donner un petit tuyau qui me vient de ma mère», a-t-elle déclaré.

Je suis restée bouche bée. Ma mère ne s'entend pas très bien avec ses parents, et c'est rare qu'elle me rapporte un conseil que l'un ou l'autre lui aurait donné.

«Si tu penses que tu risques d'annuler Michael vendredi soir, tu ferais mieux de lui annoncer que le chat est sur le toit dès maintenant», a-t-elle dit.

Je l'ai regardée d'un air perplexe.

«Lui annoncer quoi?

— Que le chat est sur le toit, a répété ma mère. C'est-à-dire le préparer mentalement à être déçu. Par exemple, s'il était arrivé quelque chose à Fat Louie pendant ton séjour à Genovia… (Mes yeux ont dû s'arrondir comme des soucoupes parce que ma mère s'est empressée de dire :) Ne t'inquiète pas, il ne lui est rien arrivé. Mais si quelque chose lui était arrivé, je ne te l'aurais pas annoncé de but en blanc au téléphone. Je t'aurais préparée doucement avant. Par exemple, je t'aurais dit : "Mia, Fat Louie s'est sauvé par la fenêtre et maintenant, il est sur le toit et on n'arrive pas à le faire redescendre."

— Mais si, vous auriez pu le faire redescendre ! ai-je protesté. Il suffit de grimper par l'échelle de secours avec une taie d'oreiller, de s'approcher et de la jeter sur Fat Louie, de l'y enfermer et ensuite de le ramener.

— Oui, bien sûr, a fait ma mère, mais imagine… Je te dis que j'ai essayé. Le lendemain, je te rappelle et je t'annonce que ça n'a pas marché, que Fat Louie s'est sauvé sur le toit de l'immeuble voisin.

— Je te répondrais de sonner à n'importe quelle porte de l'immeuble voisin pour entrer et monter sur le toit, ai-je déclaré sans bien comprendre où elle voulait en venir. Maman, comment peux-tu de toute façon être aussi irresponsable et laisser Fat Louie sortir ? Je t'ai répété des centaines de fois de ne pas ouvrir la fenêtre de ma chambre ! Tu sais bien que Fat Louie aime regarder les pigeons. Jamais il ne pourrait se débrouiller tout seul dehors.

— Donc, tu ne t'attendrais pas à ce qu'il survive deux nuits dehors, a poursuivi ma mère.

— Non, ai-je pratiquement gémi.

— Très bien. Alors, tu serais mentalement préparée quand je t'appellerais le troisième jour pour t'annoncer que, malgré tous nos efforts, Fat Louie est mort.

— NON ! me suis-je écriée en attrapant Fat Louie qui dormait sur mon lit. Et tu penses que je devrais faire comme ça avec Michael ? Mais il n'a pas de chat, il a un chien. Jamais Pavlov n'irait sur le toit de l'immeuble.

— Non, évidemment », a dit ma mère, un peu lasse. Ce qui était normal, non ? L'insatiable fœtus qui grandissait en elle était en train de la vider lentement de ce qui constituait l'essence même de sa vie. « Ce que je voulais te faire comprendre, c'est que tu devrais préparer mentalement Michael à être déçu si tu penses que tu annuleras votre rendez-vous de vendredi soir. Appelle-le et dis-lui que tu risques de ne pas pouvoir venir. Annonce-lui que le chat est sur le toit. »

J'ai libéré Fat Louie. Non pas parce que je comprenais enfin où ma mère voulait en venir mais parce que ça faisait un petit moment qu'il me mordait.

« Oh, ai-je dit, tu penses que si je fais ça, le préparer mentalement à l'éventualité de ne pas me voir vendredi soir, il ne me plaquera pas quand je lui annoncerai vraiment la nouvelle ?

— Mia, a rétorqué ma mère. Jamais un garçon ne te plaquera parce que tu as annulé un rendez-vous. Et si un jour ça arrive, ça voudra dire qu'il ne te mérite pas. Comme le Dave de Tina, si tu veux mon avis.

Elle se sentira probablement mieux sans lui. Allez, maintenant, retourne à tes devoirs. »

Comment voulait-elle que je retourne à mes devoirs après m'avoir livré une telle information ?

Résultat, je me suis connectée dans l'idée d'envoyer un mail à Michael. Sauf que j'en avais reçu un de Tina.

Cœuraimant : Salut, Mia. Qu'est-ce que tu fais ?

Elle avait l'air si triste !
FtLouie : La bio. Comment vas-tu ?
Cœuraimant : Devine. Il me manque tellement !!!
Si tu savais comme je regrette d'avoir lu Jane Eyre.

Me rappelant les paroles de ma mère, j'ai répondu :

FtLouie : Tina, si Dave a rompu parce que tu ne le rappelais pas quand il te laissait un message, alors il ne te méritait pas. Je suis sûre que tu vas rencontrer un autre garçon qui, lui, saura t'aimer.
Cœuraimant : Tu crois vraiment ?
FtLouie : Absolument.
Cœuraimant : Mais où veux-tu que je rencontre un garçon qui m'aime à Albert-Einstein ? Ce sont tous des débiles mentaux. À part M.M. évidemment.

FtLouie : Ne t'inquiète pas, on te trouvera quelqu'un. Il faut que je te laisse. Je dois envoyer un mail à mon père.

J'ai préféré mentir et lui cacher que c'était à Michael que je m'apprêtais à écrire. Je ne voulais pas remuer le couteau dans la plaie, genre «J'ai un petit copain et pas toi». Mais si elle se souvenait qu'à Genovia il était quatre heures du matin et qu'il n'y a pas l'ADSL au palais, j'étais fichue.

FtLouie : À +.

Cœuraimant : OK. Si tu as envie de papoter plus tard, je suis là. Où veux-tu que je sois, de toute façon ?

Pauvre Tina ! Elle est accablée de chagrin. Franchement, quand on y réfléchit bien, Dave lui a rendu service en la quittant. S'il avait l'intention de rompre pour sortir avec cette Jasmine, il aurait pu le faire avec un peu plus de tact. Lui annoncer que le chat était sur le toit, par exemple. Un gentleman aurait agi de la sorte. Mais c'est clair que Dave n'est pas un gentleman.

Qu'est-ce que je suis contente que MON petit ami ne lui ressemble pas ! Du moins, je l'espère. Une minute. Bien sûr qu'il ne lui ressemble pas. C'est MICHAEL tout de même.

FtLouie : Salut!

LinuxRulz : Hé, où t'étais passée ?

FtLouie : À mon cours de princesse.

LinuxRulz : Tu ne sais pas déjà tout sur le métier de princesse ?

FtLouie : Apparemment non. Ma Grand-Mère avait encore quelques petits réglages à faire. En parlant de modifications, est-ce qu'il y a une autre séance pour La Guerre des étoiles ?

LinuxRulz : Oui, à onze heures. Pourquoi ?

FtLouie : Oh, comme ça, pour rien.

LinuxRulz : POURQUOI ?

Je n'ai pas pu lui répondre. Peut-être à cause des lettres capitales ou de ma conversation avec Tina, qui était encore toute fraîche dans mon esprit. Je ne parvenais tout simplement pas à oublier l'inimaginable tristesse de sa dernière phrase. Je sais bien que c'était le *moment* de lui annoncer que j'étais coincée à cause de ce fichu bal, mais je n'ai pas pu m'y résoudre. Je ne pensais qu'à une chose : que Michael est immensément doué et intelligent, et qu'il n'aurait aucun mal à trouver mieux que l'espèce de mutante sans compétence que je suis.

Du coup, j'ai écrit :

FtLouie : J'ai essayé de chercher un nom pour ton groupe.

LinuxRulz : Quel rapport avec l'horaire de la seconde séance de La Guerre des étoiles *?*

FtLouie : Aucun. Dis-moi plutôt ce que tu penses de « Michael et les Wookies » ?

LinuxRulz : Que tu as trop joué avec l'herbe à chat de Fat Louie.

FtLouie : Ha, ha. Très drôle. Et « Les Ewoks » ?

LinuxRulz : Les EWOKS ? Où est-ce que ta Grand-Mère t'a amenée aujourd'hui ? Faire des électrochocs ?

FtLouie : J'essaie simplement de rendre service.

LinuxRulz : Je sais, désolé. Mais ça m'étonnerait que les gars apprécient d'être comparés aux petites marion-nettes poilues de la planète Endor. En tout cas, je suis sûr que Boris n'apprécierait pas. Il…

FtLouie : BORIS PELKOWSKI FAIT PARTIE DE TON GROUPE ??????

LinuxRulz : Oui. Pourquoi ?

FtLouie : Pour rien.

Tout ce que je peux dire, c'est que si j'avais un groupe, je refuserais que Boris en fasse partie. Je sais qu'il est doué, mais il ne faut quand même pas oublier qu'il respire par la bouche ! Je suis très contente que ça se passe bien entre Lilly et lui, et j'ar-rive à le supporter pendant des laps de temps assez courts, et même à bien m'entendre avec lui. Mais je ne le prendrais pas pour autant dans mon groupe. Surtout s'il s'obstine à rentrer son sweat-shirt dans son pantalon.

LinuxRulz : Boris est sympa, une fois qu'on le connaît.

FtLouie : Je sais. C'est juste qu'il détonne par rapport à ton groupe. Son obsession pour Bartok, par exemple.

LinuxRulz : C'est un excellent joueur de bluegrass. Non que le groupe ait viré country, mais bon…

Tant mieux.

LinuxRulz : Tu crois que ta Grand-Mère te laissera sortir à l'heure ?

Je ne voyais pas du tout de quoi il parlait.

FtLouie : Pardon ???

LinuxRulz : Pour vendredi. Tu as bien ta leçon de princesse ? C'est pour ça que tu voulais savoir s'il y avait une autre séance, non ? Tu as peur que ta Grand-Mère te garde plus longtemps.

C'est là que j'ai raté le coche. Michael m'offrait la possibilité de m'en sortir facilement. Il me suffisait de répondre : « Oui, justement », et il m'aurait dit : « Ce n'est pas grave. On ira une autre fois. »

ET S'IL N'Y AVAIT PAS D'AUTRE FOIS ?

Et si Michael, comme Dave, me larguait et trouvait une autre fille pour l'accompagner ????

Bref, j'ai écrit :

FtLouie : Non, ça ira. À mon avis, je sortirai à l'heure.

POURQUOI EST-CE QUE JE SUIS AUSSI STUPIDE??????? POURQUOI EST-CE QUE J'AI ÉCRIT ÇA?????? Évidemment que je ne sortirai pas à l'heure puisque je serai à ce fichu bal pendant TOUTE LA SOIRÉE!!!!!!!

Franchement, je ne mérite pas d'avoir un petit ami. Je suis trop idiote.

Jeudi 22 janvier, en perm

Ce matin, au petit déjeuner, Mr. G. a lancé à la cantonade :

« Est-ce que quelqu'un a vu mon jean marron? », et ma mère, qui avait mis le réveil tôt dans l'espoir de joindre mon père entre deux séances parlementaires, a répondu :

« Non, mais en revanche, est-ce que quelqu'un a vu mon tee-shirt "Libérez Winona" ?

— Moi, je n'ai toujours pas retrouvé mes sous-vêtements de la reine Amidala », ai-je annoncé.

Alors, on a compris qu'on nous avait volé notre linge.

C'est la seule explication possible. On fait laver notre linge au pressing de Thompson Street, qui nous le dépose ensuite plié et repassé. Comme on n'a pas de concierge, notre sac attend dans le hall de l'immeuble que l'un de nous trois le ramasse et le monte à l'appartement.

Or tout laisse à penser que personne n'a vu le sac de linge qu'on a déposé au pressing la veille de mon départ pour Genovia !

Ce qui veut dire qu'un de ces petits journalistes sournois (ceux qui fouillent dans nos poubelles) a trouvé notre sac de linge. Résultat, on peut s'attendre à lire bientôt, en première page du *Post* : « Les sous-vêtements de la princesse Mia : la révélation ».

Le monde entier apprendra alors que j'ai des sous-vêtements de la reine Amidala !!!!!!!

Parlons sérieusement. Je ne raconte pas à tout le monde que je mets des sous-vêtements à l'effigie de *La Guerre des étoiles* ou même qu'ils me portent chance. En fait, j'aurais dû les prendre quand je suis allée à Genovia. Ils m'auraient porté chance pour mon discours, la veille de Noël. Si je les avais eus sur moi, je ne serais peut-être pas partie dans cette digression sur les parcmètres.

Mais bon, comme j'étais sur un petit nuage à cause de Michael, j'ai complètement oublié.

Bref, il semble que quelqu'un se soit emparé de mes sous-vêtements porte-bonheur. Je vous parie ce que vous voulez que dans peu de temps, on les trouvera en vente sur Internet.

Je suis fichue.

Maman a appelé le commissariat de police du quartier pour signaler le vol mais, apparemment, ils ont autre chose à faire que s'embêter à retrouver un sac de linge. Ils lui ont ri au nez.

Cela dit, ce n'est pas très grave pour elle ni pour Mr. G. Ils n'ont perdu que des vêtements de ville, eux, tandis que moi, je me suis fait voler des sous-vêtements. Pire, des sous-vêtements porte-bonheur. Je comprends que les hommes et les femmes qui luttent contre la criminalité dans cette ville aient des choses beaucoup plus importantes à faire que retrouver mes sous-vêtements, mais au train où vont les choses, je vais avoir besoin d'un sacré coup de bol.

Jeudi 22 janvier, pendant le cours de maths

À faire :

1. Demander à l'ambassadeur de Genovia aux Nations unies d'appeler la CIA. Peut-être qu'elle pourrait dépêcher un ou deux agents pour retrouver mes sous-vêtements. (S'ils tombaient aux mains de personnes mal intentionnées, qui sait si cela ne provoquerait pas un incident international ?)
2. Acheter des croquettes pour Fat Louie !!!!!!
3. Vérifier que maman prend bien son acide folique.

4. Annoncer à Michael que je ne pourrai pas honorer notre premier rendez-vous.

5. Me préparer à me faire plaquer.

Déf. : la racine carrée d'un carré parfait est un nombre entier positif.

Déf. : lorsque *a* est un nombre positif, la racine carrée de *a* désigne le seul nombre positif dont le carré est égal à *a*.

Jeudi 22 janvier
Pendant le cours d'hygiène et sécurité

Tu as vu ça? Ils ont rendez-vous chez Cosi pour déjeuner!

Oui. Il l'aime vraiment.

C'est tellement mignon, quand des profs tombent amoureux.

Tu es angoissée, au fait, pour le petit déjeuner de demain matin?

Non, pas vraiment. C'est EUX qui doivent être dans leurs petits souliers.

Tu y vas toute seule? Tes parents ne t'accompagnent pas?

Je t'en prie. Ce n'est quand même pas une bande de producteurs de cinéma qui vont me faire peur. Je peux me débrouiller toute seule, merci. Comment osent-ils nous servir cette soupe année après année? Est-ce qu'ils

pensent qu'on ne sait toujours pas que le tabac tue ? Au fait, tu as fait tes devoirs ou est-ce que tu as passé la nuit à communiquer avec mon frère via Internet ?

Les deux.

Vous êtes tellement mignons, ça me donne envie de vomir. Presque aussi mignons que Mr. Wheeton et mademoiselle Klein.

La ferme.

Qu'est-ce qu'on s'ennuie ici. Tu ne veux pas faire une liste ?

D'accord. Tu commences.

Guide de ce qui craint
et ne craint pas à la télé par Lilly Moscovitz
(avec les commentaires de Mia Thermopolis)

SEPT À LA MAISON

Lilly : Regard complexe sur les combats d'une famille pour maintenir les valeurs chrétiennes dans une société moderne sans cesse en évolution. Plutôt bien jouée et occasionnellement émouvante, cette série peut toutefois virer « moralisatrice », bien qu'elle évite les clichés et décrive avec un réalisme surprenant les problèmes d'une famille normale.

Mia : Même si le père est pasteur et que chaque épisode soit prétexte à une leçon de morale, cette série est plutôt bonne sans compter qu'on peut y voir le sexy Barry Watson. Point fort : quand les Olsen Twins sont les guest stars. Point faible : quand la coiffeuse défrise les cheveux de la plus jeune fille.

POPSTARS

Lilly : Tentative ridicule pour flatter bassement les éléments les moins doués, cette émission fait passer à ses jeunes stars une humiliante «audition» publique puis zoome sur les perdants qui pleurent, et les gagnants qui jubilent.

Mia : On sélectionne une bande de jeunes qui savent chanter et danser puis on auditionne pour faire partie d'un groupe. Certains sont pris, d'autres non. On montre ensuite ceux qui sont devenus connus du jour au lendemain et qui ont craqué après. Il est à remarquer que les filles portent toujours des tenues qui permettent de voir leur piercing au nombril. Comment peut-on produire une émission aussi nulle?

SABRINA L'APPRENTIE SORCIÈRE

Lilly : Bien qu'inspirée de la bande dessinée, cette série est étonnamment agréable et parfois même drôle. Cela dit, et c'est dommage, les pratiques wiccainnes ne sont pas décrites. La série pourrait gagner en crédibilité si ses créateurs exploraient davantage cette très ancienne religion qui, à travers les siècles, a donné le pouvoir à des milliers de femmes.

Mia : Excellent tant qu'il est question de Harvey. Sinon aucun intérêt.

ALERTE À MALIBU

Lilly : Rien à dire tellement c'est débile.

Mia : La meilleure série de tous les temps. Tous les personnages sont beaux et on peut suivre sans problème en pianotant en même temps sur le clavier de son ordinateur. On voit beaucoup la plage, ce qui est très agréable, en février, quand on habite Manhattan et qu'il fait gris. Meilleur épisode : quand Pamela Lee se fait kidnapper par la créature mi-homme mi-bête qui, après être passée entre les mains d'un chirurgien esthétique, devient professeur à UCLA[1]. Pire épisode : quand Mitch adopte un fils.

LES POWERPUFF GIRLS

Lilly : La meilleure série télé.
Mia : idem.

ROSWELL

Lilly : Cette série, qui n'est malheureusement plus diffusée, offrait un point de vue intéressant sur l'idée que des aliens puissent vivre parmi nous. Il s'agit par ailleurs d'adolescents extraordinairement séduisants, ce qui permettait de s'identifier.

---

1. Université de Los Angeles.

Mia : Des garçons sexy dotés de pouvoirs alien. Que peut-on demander de plus ? Point fort : Max. Point faible : quand cette affreuse Tess apparaît. Et bien sûr, quand ils ont arrêté de diffuser la série.

BUFFY CONTRE LES VAMPIRES

Lilly : La suprématie féministe à son apogée, le top du divertissement. Un personnage fort qui devrait inspirer toutes les jeunes femmes - non, en fait tout le monde, homme ou femme, et de tout âge. La meilleure série télé qui ait jamais été tournée. C'est une honte qu'elle n'ait pas encore été primée aux Emmys.

Mia : Si seulement Buffy pouvait se trouver un petit ami qui n'ait pas besoin de boire du sang pour survivre. Point fort : chaque fois qu'ils s'embrassent. Point faible : aucun.

GILMORE GIRLS

Lilly : Portrait plein de délicatesse d'une mère célibataire qui se bat pour élever sa fille adolescente dans une petite ville du nord-est des États-Unis.

Mia : Je n'ai jamais vu autant de garçons mignons dans une série télé.

CHARMED

Lilly : Si cette série décrit avec précision QUELQUES pratiques wiccainnes, les sortilèges que ces filles jettent sont complètement irréalistes. On ne peut pas, par exemple, voyager à travers le temps ou entre les dimensions sans provoquer des trouées dans le continuum spatio-

temporel. Si ces filles devaient se transporter dans l'Amérique puritaine du XVIIe siècle, elles arriveraient avec leur œsophage complètement retourné et certainement pas la taille serrée dans un corset parce qu'on ne peut pas voyager à travers un portail de téléportation et maintenir sa masse intacte. C'est une simple question de physique. Pauvre Albert Einstein. Il doit se retourner dans sa tombe.

Mia : Des sorcières dans des tenues supersexy. Comme Sabrina, mais en mieux parce que les garçons sont hypermignons et, quand ils sont en danger, les filles doivent les sauver.

Jeudi 22 janvier, pendant l'étude dirigée

Tina en veut tellement à Charlotte Brontë! Elle dit que *Jane Eyre* a gâché sa vie.

C'est ce qu'elle nous a annoncé au déjeuner. En plus, devant Michael, qui n'est pas censé être au courant de la méthode Jane Eyre. Mais bon. Il a admis n'avoir jamais lu le livre, donc je suis quasi sûre et certaine qu'il ne savait pas de quoi Tina parlait.

Quoi qu'il en soit, le déjeuner a été très triste. Tina nous a annoncé aussi qu'elle ne lirait plus jamais de romans d'amour parce qu'ils sont responsables de ce qui lui est arrivé avec Dave!

On a tous été très surpris. Tina *adore* lire des romans d'amour. Elle en lit un par jour.

Mais elle dit que s'ils n'existaient pas – les romans d'amour –, ce serait elle, et non Jasmine, qui irait voir le match des Rangers, samedi, avec Dave El-Farouq.

Je lui ai fait remarquer qu'elle n'était pas particulièrement fan de hockey, mais ça n'a pas changé grand-chose.

Pour Lilly et moi, c'est clair : Tina traverse une phase cruciale de son adolescence. Il était donc important de lui rappeler que c'est Dave, et non Jane, qui a mis un terme à leur relation… et que, objectivement, ce n'est peut-être pas plus mal. C'était ridicule de sa part de croire que les romans d'amour sont responsables de son sort.

C'est pourquoi on s'est empressées de lui dresser la liste suivante dans l'espoir qu'elle prenne conscience de ses erreurs.

Liste des héroïnes romantiques par Mia et Lilly et les leçons qu'elles peuvent nous enseigner

1. Jane Eyre de *Jane Eyre*
Restez fidèle à vos convictions et vous l'emporterez.

2. Lorna Doone de *Lorna Doone*
Vous ne le savez peut-être pas, parce que personne ne vous l'a dit, mais vous êtes probablement une reine et une héritière.

3. Elizabeth Bennet de *Orgueil et Préjugés*
Les garçons aiment bien les filles audacieuses.

4. Scarlet O'Hara de *Autant en emporte le vent*
Idem.

5. Maid Marian de *Robin des bois*
C'est une bonne idée d'apprendre à se servir d'un arc et d'une flèche.

6. Jo March des *Quatre Filles du docteur March*
Garder toujours un double de son manuscrit à portée de main au cas où votre petite sœur jetterait l'original au feu par vengeance.

7. Anne Shirley de *Anne of Green Gables*
Un seul mot : Clairol.

8. Marguerite Saint-Juste de *The Scarlet Pimpernel*
Vérifier les bagues que porte votre fiancé avant de l'épouser.

9. Cathy des *Hauts de Hurlevent*
Attention à ne pas trop grossir. Vous ne rentrerez plus dans votre pantalon de cheval et vous vous retrouverez, vous aussi, à errer dans la lande, seule et le cœur brisé.

10. Tess de *Tess d'Uberville*
Idem.

Après avoir lu la liste, Tina a admis en pleurant qu'on avait raison : les héroïnes romantiques de la littérature étaient ses amies, et elle ne pourrait jamais vivre sans elles. On poussait tous un ouf de soulagement (sauf Michael et Boris qui jouaient avec la game boy de Michael) quand Shameeka a brusquement annoncé :

« J'auditionne pour les *pom-pom girls.* »

Ça a été un véritable choc pour tout le monde. Non pas parce que Shameeka ferait une mauvaise *pom-pom girl* – c'est la plus athlétique de nous toutes, la plus belle et elle s'y connaît autant que Tina sur la mode et le maquillage.

C'est juste que, comme Lilly le lui a carrément dit : « Mais quel intérêt ?

— J'en ai assez des vacheries de Lana et de ses copines, a répondu Shameeka. Je suis aussi forte qu'elles. Pourquoi je ne me présenterais pas ? Je ne suis pas obligée ensuite de faire partie de leur petite clique. J'ai autant de chance que n'importe qui d'être prise dans l'équipe.

— Il n'y a aucun doute là-dessus, mais je dois tout de même te prévenir, Shameeka, a dit Lilly. Si tu te présentes, tu risques d'être prise. Es-tu prête à t'humilier en soutenant Josh Richter quand il courra après le ballon ?

— Pendant de nombreuses années, soutenir une équipe sportive a été catalogué comme fondamentalement sexiste, a expliqué Shameeka. Je pense que les supporters en général ont fait de gros progrès pour s'affirmer en tant que groupe pratiquant une activité sportive qui s'adresse autant aux hommes qu'aux femmes. C'est un bon moyen de rester en forme, qui combine deux de mes passions, à savoir la danse et la gymnastique, et m'apportera des points pour mon dossier d'inscription à l'université. Évidemment, c'est la seule raison pour laquelle mon père a accepté que je me présente. Outre le fait que George W. Bush faisait partie de l'équipe des supporters de son lycée. Et bien sûr, je ne serai pas autorisée à aller aux fêtes après les matchs. »

Ce qui ne m'étonnait pas de la part de Mr. Taylor, le père de Shameeka. Il est super strict. Mais pour le reste, je ne sais pas ce que j'en pense.

« Est-ce que ça veut dire que si tu es prise, tu ne mangeras plus avec nous ? » ai-je demandé.

Je lui ai montré du doigt une table, à l'autre bout du réfectoire, à laquelle Lana, Josh et toute leur bande étaient assis. La pensée de voir Shameeka, toujours si élégante et si sensible, passer du côté obscur me brisait le cœur.

« Bien sûr que non, a-t-elle répondu. Ce n'est pas parce que je ferai partie de l'équipe des supporters du lycée Albert-Einstein que vous ne serez plus mes amies. Je continuerai à tenir la caméra pour ton émission, Lilly, je serai toujours ta partenaire en bio, Mia, ta consultante en rouges à lèvres, Tina, et tu pourras continuer à faire mon portrait, Ling Su. »

On est restées là, sans rien dire, à réfléchir à ce grand changement qui planait au-dessus de nos têtes. Si Shameeka entrait dans l'équipe des supporters du lycée, ce serait évidemment un sale coup pour Lana et sa bande de copines, mais cela signifierait aussi qu'on la verrait moins puisqu'elle serait obligée de passer tout son temps libre à s'entraîner à faire le grand écart et à prendre le bus pour suivre les matchs extérieurs à Mount Kisco.

Mais il n'y avait pas que ça. Si Shameeka était prise, cela signifiait qu'elle était bonne dans quelque chose – mais VRAIMENT, VRAIMENT bonne, et pas seulement un tout petit peu bonne, ce qu'on savait déjà. Et si Shameeka s'avérait VRAIMENT, VRAIMENT bonne dans quelque chose, alors je serais la SEULE à notre table à n'avoir aucun talent.

Je le jure, ce n'est pas pour cette raison que j'espère qu'elle ne sera pas prise. Franchement. Je souhaite de tout mon cœur que ça marche pour elle, si c'est ce qu'elle veut.

Sauf que… JE NE VEUX PAS ÊTRE LA SEULE QUI N'AIT PAS DE TALENT!!!!!!!!

Le silence autour de la table était palpable, enfin, si on ne tient pas compte du bip-bip-bip de la game boy de Michael. Les garçons – et apparemment même ceux qui n'ont aucun défaut, comme Michael – sont insensibles à des choses comme l'humeur.

Mais je peux vous dire que jusqu'à présent, l'humeur de cette année est assez mauvaise. En fait, si ça ne s'améliore pas d'ici peu, je serai obligée de considérer cette année comme perdue d'avance.

Toujours aucune idée de ce que pourrait être mon talent secret. Je suis sûre d'une chose : ça ne peut pas être la psychologie vu que j'ai eu un mal fou à faire comprendre à Tina, par exemple, de ne pas renoncer à la lecture ! Ou à convaincre Shameeka de ne pas se présenter à l'audition des *pom-pom girls*. En fait, je commence à deviner pourquoi elle y tient autant : sa vie pourrait être un peu plus drôle.

Quoique je n'arrive pas à concevoir comment quiconque aurait envie de passer ne serait-ce qu'une heure avec Lana Weinberger.

Jeudi 22 janvier, pendant le cours de français

Mlle Klein n'a pas du tout apprécié qu'on sèche son cours hier, Tina et moi.

Évidemment, on lui a dit qu'on n'avait pas séché mais qu'on avait dû quitter le lycée d'urgence pour acheter quelque chose de «très féminin» à la pharmacie, mais je ne suis pas sûre qu'elle nous ait crues. On aurait pu s'attendre à une certaine forme de solidarité féminine de sa part, mais apparemment non. Heureusement, elle ne l'a pas inscrit dans notre dossier. Elle nous a juste donné un avertissement et un essai de cinq cents mots à écrire (en français, évidemment) sur les escargots.

Je n'ai pas envie de parler d'escargots. J'ai envie de parler de mon père. MON PÈRE QUI COMMANDE!!!!!!

Et pas seulement un pays. Il s'est débrouillé pour que je ne sois plus obligée d'aller au bal de la comtesse!!!!!!

Voilà ce qui s'est passé – du moins, d'après Mr. G. que je viens juste de croiser dans le couloir. Le ministre qui bloquait le débat sur les parcmètres s'est enfin tu (après trente-six heures), ce qui a permis à ma mère de joindre mon père. (Ceux qui défendaient le stationnement payant ont gagné. C'est autant une victoire pour l'environnement que pour moi.)

Bref, mon père a déclaré que je n'étais nullement tenue d'assister au bal de la comtesse. Mieux. Il a ajouté qu'il n'avait jamais rien entendu d'aussi ridicule, et que la seule querelle qui existait entre notre famille et la famille de la comtesse ne concernait que la comtesse et Grand-Mère. Apparemment, elles sont en compétition toutes les deux depuis la fin de leurs études, et Grand-Mère a juste voulu frimer avec moi pour lui clouer le bec. La petite-fille de la comtesse sera également au bal, mais personne n'a jamais tourné de film sur sa vie. En fait, il paraît que c'est une pauvre fille qui a été renvoyée de son pensionnat parce qu'elle n'a jamais réussi à apprendre à skier correcte-ment.

Résultat, je suis libre! Libre de passer la soirée de demain avec l'amour de ma vie! J'ai annoncé à Michael que le chat était sur le toit pour rien! Tout va bien se passer, je le sens, même si je n'ai pas sur moi mes sous-vêtements porte-bonheur.

Je suis tellement heureuse que j'ai envie d'écrire un poème. Il faudra que je le cache à Tina. Ça ne se fait pas de se réjouir de sa chance quand les autres n'en ont pas. (Tina a découvert que Jasmine allait à Trinity, avec Dave, que son père était également un magnat du pétrole et que son nom d'internaute était «Cœurtrèsaimant».)

Devoirs :

Maths : pbs fin chap. 11

Anglais : décrire dans son journal les sentiments éprouvés en lisant la poésie de John Donne

Bio : je ne sais pas, Shameeka s'en charge

Hygiène et sécurité : chap. 2

Étude dirigée : découvrir mon talent secret

Français : chap. 11 + écrire narration en 300 mots + 500 mots sur les escargots

Éduc. civique : décrire en 500 mots les origines du conflit arménien

Poème pour Michael

Ô, Michael,
Bientôt on se garera
Devant le cinéma
Et on mangera
En regardant le film de George Lucas
Peut-être prendras-tu ma main
Demain
Notre amour sera toujours plus fort
Que Darth Vador
Et s'il fait exploser notre planète
Et tue toutes les créatures qui y végètent
Comme Leai et Han Solo,
Dans les étoiles, là-haut,
Notre amour jamais ne connaîtra de remous
Car la Force est avec nous.

Jeudi 22 janvier
Dans la limousine de Grand-Mère,
en rentrant à la maison

J'ai eu tort. Je me suis trompée sur Grand-Mère, quand je pensais qu'elle était inhumaine et peut-être envoyée d'une autre planète pour observer la vie sur Terre et ensuite rapporter ses conclusions à ses supérieurs. Eh bien, Grand-Mère est humaine.

Comment je l'ai découvert? Comment j'ai découvert que la princesse douairière de Genovia n'avait pas vendu son âme au Prince des Ténèbres, comme je l'avais souvent pensé?

Je l'ai compris aujourd'hui en pénétrant dans sa suite au *Plaza,* bien décidée à ne pas me laisser faire au sujet du bal de la comtesse. J'avais même déjà préparé ma phrase : «Grand-Mère, papa a dit que je n'étais pas obligée d'aller au bal. Et tu sais quoi? Je n'y vais pas. »

Voilà ce que je voulais lui dire.

Mais lorsque je suis entrée et que je l'ai vue, je suis restée sans voix. On aurait dit que Grand-Mère s'était fait écraser par un camion : elle était assise dans le noir – des écharpes pourpres recouvraient tous les lampadaires de la pièce parce que, m'a-t-elle dit, la lumière lui faisait mal aux yeux –, et elle n'était pas habillée comme d'habitude. Elle portait une robe de chambre en velours et elle avait des chaussons aux pieds, des bigoudis dans les cheveux, et si elle ne s'était pas fait tatouer un trait d'eyeliner, je suis sûre que son mascara aurait coulé. Pire, elle ne buvait même pas de Sidecar, son cocktail préféré. Elle était assise là, avec Rommel sur les genoux, l'air abattu.

«Grand-Mère, tu vas bien? me suis-je exclamée en entrant. Tu n'es pas malade?»

Et d'une voix tellement différente des cris stridents auxquels j'étais habituée, elle m'a répondu : «Non, ça va. Du moins, ça va aller. Une fois que je me serai remise de l'humiliation.

— L'humiliation ? De quelle humiliation parles-tu ? ai-je demandé en m'agenouillant près de son fauteuil. Tu es sûre que tu n'es pas malade ? Tu ne fumes même pas !

— Ça va aller, a-t-elle répété faiblement. Il faudra seulement attendre plusieurs semaines avant que je me montre de nouveau en public. Mais je suis une Renaldo. Je suis forte. Je me relèverai. »

Techniquement parlant, Grand-Mère n'est une Renaldo que par alliance, mais j'ai senti que ce n'était pas tout à fait le moment d'en discuter avec elle. Qui sait ? Elle avait peut-être vraiment quelque chose qui clochait ?

« Tu veux que j'appelle un médecin ? ai-je proposé.

— Aucun médecin ne pourra me guérir, a-t-elle répondu. Je suis mortifiée et je souffre d'avoir une petite-fille qui ne m'aime pas. »

Je ne voyais pas du tout de quoi elle parlait. C'est sûr que parfois je ne l'aime pas trop. Je me demande même si je ne la hais pas. Mais je ne crois pas ne pas l'aimer. Du moins, je ne le lui ai jamais dit. De vive voix.

« Grand-Mère, qu'est-ce que tu racontes ? Bien sûr que je t'aime, ai-je dit.

— Alors, pourquoi ne m'accompagnes-tu pas au bal de la comtesse ? » a-t-elle gémi.

J'ai cligné des yeux.

«Qu-qu-quoi? ai-je bégayé.

— Ton père m'a annoncé que tu n'irais pas au bal, a-t-elle déclaré. Il m'a dit que tu ne souhaitais pas y aller!

— Mais Grand-Mère, tu le savais! Tu savais que Michael et moi, on…

— Brr! *Ce garçon!* Encore *ce garçon!* s'est-elle écriée.

— Cesse de l'appeler comme ça! ai-je dit. Tu connais parfaitement son nom.

— Je suppose donc que ce Michael est plus important pour toi que moi, a constaté Grand-Mère avec une grimace. Ce qui explique pourquoi tu ménages ses sentiments et non les miens.»

La réponse était bien sûr : OUI. Mais ça aurait été mal élevé. Aussi, j'ai dit : «Grand-Mère, on sort ensemble pour la première fois demain soir. C'est très important pour moi.

— Mais apparemment, l'importance que moi, j'attache à ta présence à ce bal ne compte pas», a murmuré Grand-Mère en me regardant d'un air triste.

L'espace d'une seconde, j'ai cru voir des larmes dans ses yeux, et puis, je me suis dit que ce n'était pas possible, ce devait être une illusion d'optique à cause du peu de lumière.

«Elena Trevanni m'a toujours traitée de haut parce qu'elle était née dans une famille plus respectée et plus aristocratique que la mienne, a repris Grand-Mère. Jusqu'à mon mariage avec ton grand-père, elle a toujours eu des robes et des chaussures plus belles que celles que mes parents pouvaient m'acheter. Elle continue de penser qu'elle vaut bien mieux que moi, parce qu'elle a épousé un comte qui n'avait ni responsabilité ni biens à gérer, mais seulement une fortune illimitée tandis que j'ai dû suer sang et eau pour faire de Genovia un véritable paradis sur terre. J'espérais que, pour une fois, j'aurais le dessus en lui montrant à quel point ma petite-fille est adorable et bien élevée, mais je vois que tout cela ne compte pas, non. »

Je n'en revenais pas. Jamais je n'aurais soupçonné que ce stupide bal représentait autant pour elle! Je pensais simplement qu'elle voulait que je casse avec Michael parce qu'elle cherchait à me caser avec le prince René, pour qu'on unisse un jour nos deux familles par les liens du mariage et qu'on donne naissance à des superprinces et superprincesses. Je n'avais jamais imaginé une autre raison, à savoir que la comtesse Trevanni était la Lana Weinberger de Grand-Mère.

En tout cas, c'est exactement l'impression que j'avais. Elena Trevanni avait torturé Grand-Mère aussi cruellement que Lana me torturait depuis des années. Est-ce qu'elle lui avait aussi suggéré de porter un sparadrap à la place de son soutien-gorge ?

« Et maintenant, je vais devoir lui annoncer que ma petite-fille ne m'aime pas suffisamment pour renoncer juste un soir à son petit copain », a repris

Grand-Mère, encore plus tristement que tout à l'heure.

Le cœur serré, j'ai su alors ce qu'il me restait à faire. J'étais tout de même bien placée pour comprendre ce que ressentait Grand-Mère. Si j'avais pu, une fois dans ma vie, en mettre plein la vue à Lana – autrement qu'en sortant avec son petit ami, ce que j'ai déjà fait, mais au bout du compte, c'est moi qui ai été humiliée –, j'aurais tellement aimé.

Quand quelqu'un est aussi méchant et cruel que Lana – pas seulement avec moi, d'ailleurs, mais avec toutes les filles de Albert-Einstein qui n'ont pas eu la chance de naître jolies –, cette personne mérite qu'on le lui rappelle.

Ça me faisait bizarre de me dire que Grand-Mère, qui me paraissait tellement sûre d'elle, avait été pendant toute sa vie le souffre-douleur d'une Lana Weinberger. Pour moi, Grand-Mère était le type de femme qui se serait jetée sur Lana si elle avait balayé sa table de ses longs cheveux blonds, et qui l'aurait attaquée comme Yu Shiu Lien dans *Tigre et Dragon*.

Ainsi, il existait une personne que Grand-Mère craignait ! Et cette personne était la comtesse Trevanni !

Je n'aime pas Grand-Mère plus que Michael – je n'aime personne plus que Michael sauf Fat Louie –, mais à ce moment-là, c'est à elle que je pensais, et non à moi. À moi, plaquée par Michael parce que j'avais annulé notre rendez-vous. Ça a l'air incroyable, mais c'est vrai.

Je n'en croyais pas mes propres oreilles quand je me suis entendue dire :

«Très bien, Grand-Mère. Je t'accompagnerai au bal de la comtesse. »

J'ai cru qu'un miracle s'était produit, parce que, brusquement, Grand-Mère a semblé s'éveiller à la vie.

« C'est vrai, Amelia ? a-t-elle demandé en m'attrapant par le bras. Tu ferais ça pour moi ? »

Je savais que j'allais perdre Michael à jamais. Mais comme ma mère me l'avait dit : s'il ne comprenait pas, c'est que ce n'était pas le garçon que je méritais.

C'est facile de me convaincre, quand j'y repense. Grand-Mère avait l'air tellement heureuse. Elle a rejeté la couverture en cachemire – et Rommel par la même occasion – et a sonné la réception pour qu'on lui monte un Sidecar et des cigarettes, puis on est passé à la leçon de princesse du jour : comment appeler un taxi dans cinq langues différentes.

Tout ce que je veux savoir c'est : comment.

Pas comment on appelle un taxi en hindi. Mais COMMENT je vais faire pour Michael. S'il ne me plaque pas, c'est qu'il y a quelque chose qui cloche chez lui. Et vu qu'il n'y a rien qui cloche, ça veut dire qu'il va me plaquer. CQFD.

Vous savez quoi ? IL N'Y A PAS DE JUSTICE EN CE MONDE.

Puisque Lilly a rendez-vous avec les producteurs de mon film demain matin, j'en profiterai pour l'annoncer à Michael à ce moment-là. Comme ça, il pourra casser avant l'étude dirigée, et avec un peu de chance, j'aurai arrêté de pleurer quand je verrai Lana en maths. Je ne pourrai pas supporter ses moqueries, une fois qu'on m'aura arraché le cœur et qu'il sera en pièces à mes pieds.

Je me déteste.

Jeudi 22 janvier, à la maison

Je viens de voir le film sur ma vie. Maman l'avait enregistré quand j'étais à Genovia. Elle croyait que Mr. G. avait enregistré *L'Île de la tentation* par-dessus, mais elle s'est trompée.

Le garçon qui joue Michael est supermignon. Dans le film, ça se termine bien entre lui et moi.

Dommage qu'il me plaque dans la réalité…

Tina dit que je raconte n'importe quoi. C'est très gentil de sa part, mais autant regarder la vérité en face. C'est une question de fierté. Si une fille avec qui on sort depuis trente-cinq jours annule le premier rendez-vous, on n'a pas d'autre choix que de rompre. Je comprends tout à fait. Je romprais avec *moi* si j'étais le garçon. En tout cas, c'est clair que les ados des familles royales ne peuvent pas être comme les autres. Je veux dire, pour des gens comme le prince William et moi, le devoir passe toujours en premier.

Qui peut comprendre ça, sans parler de s'en accommoder?

Tina dit que Michael peut comprendre, et qu'il fera avec. Elle est sûre que Michael ne rompra pas, parce qu'il m'aime. Je lui ai répondu qu'il rompra parce qu'il m'aime seulement d'amitié.

« Michael t'aime plus que d'amitié! ne cessait de dire Tina au téléphone. Vous vous êtes embrassés.

— C'est vrai, mais on s'est embrassés aussi, Kenny et moi, et je l'aimais seulement comme un copain, ai-je fait remarquer.

— Ça n'a rien à voir, a déclaré Tina.

— Et pourquoi?

— Parce que vous êtes faits l'un pour l'autre, Michael et toi! a lancé Tina, exaspérée. Ton horoscope le dit. Tandis que Kenny et toi, vous n'étiez pas faits l'un pour l'autre, puisqu'il est Cancer. »

Malgré les prédictions astrologiques de Tina, rien ne permet de penser que Michael n'éprouve pas des sentiments aussi forts pour Judith Geshner, par exemple. D'accord, il m'a écrit un poème dans lequel il parlait d'amour avec un grand A. Mais c'était il y a un mois, quand j'étais à Genovia. Depuis mon retour, il n'a pas renouvelé sa flamme. Je suis de plus en plus convaincue que demain sera la goutte d'eau qui fera déborder le vase. Soyons réaliste. Pourquoi un garçon comme Michael perdrait son temps avec une fille comme moi, qui n'est même pas capable de tenir tête à sa grand-mère. Je parie que si la grand-mère de Michael lui avait dit : «Michael, est-ce que tu peux m'accompagner au Bingo vendredi soir parce qu'il y aura Olga Krakowski, ma rivale depuis l'enfance, et j'aimerais frimer grâce à toi», il aurait répondu : «Désolé, Grand-Mère, je suis pris.»

Je ne suis qu'une dégonflée.

C'est normal, après tout, que je sois celle qui souffre.

Je me demande s'il n'est pas trop tard pour changer d'école. Parce que ça m'étonnerait que je supporte de fréquenter le même lycée que Michael quand on aura rompu. Le voir dans les couloirs entre deux cours, au réfectoire, à l'étude dirigée, en sachant qu'il était à moi avant et que je l'ai perdu maintenant, non, je ne pourrais pas survivre à ça.

Mais existe-t-il une autre école à Manhattan qui accepte des dégonflées sans talent comme moi? J'en doute.

Pour Michael

Ô Michael, mon amour,
Nous avions à vivre tant de beaux jours
Mais je t'ai perdu par manque de courage
Et je te pleurerai jusqu'à un grand âge.

Vendredi 23 janvier, en perm

Voilà. C'est fait. Je le lui ai dit et il ne m'a pas plaquée. En fait, il a même été très gentil.

«Non, franchement, Mia, je comprends, m'a-t-il dit. Ton devoir de princesse passe avant tout.»

Peut-être qu'il ne voulait pas me plaquer à l'école, devant tout le monde?

Je lui ai promis d'essayer de partir du bal le plus tôt possible. Il m'a répondu de passer, dans ce cas. Chez lui.

Je sais ce que ça veut dire : ça veut dire qu'il me plaquera à ce moment-là.

MON DIEU, QU'EST-CE QUI NE VA PAS CHEZ MOI??????? Je connais Michael depuis des années. Ce n'est PAS le genre de garçon à plaquer une fille parce qu'elle a des obligations familiales. PAS LUI. C'EST POUR ÇA QUE JE L'AIME.

Alors, pourquoi je continue à me dire que s'il ne m'a pas plaquée quand je lui ai annoncé que je ne pourrais pas me libérer vendredi soir, c'est seulement parce qu'il n'osait pas le faire dans ma limousine, en présence de mon garde du corps et de mon chauffeur? Il pense peut-être que Lars a suivi un entraînement pour passer à tabac tous les garçons qui essaieraient de me plaquer devant lui?

IL FAUT QUE J'ARRÊTE DE PANIQUER. MICHAEL N'EST PAS DAVE EL-FAROUQ. Il ne va PAS me plaquer à cause de ça.

Alors, pourquoi est-ce que j'ai l'impression de comprendre maintenant ce que Jane Eyre a ressenti quand elle a appris la vérité sur Bertha le jour de son mariage? Bien sûr, Michael n'a pas de femme, que je sache. Mais il est tout à fait possible que ma relation avec lui touche à sa fin, comme celle de Jane avec Mr. Rochester. Et je ne vois pas comment faire pour empêcher ça. Peut-être que ce soir, quand je passerai chez les Moscovitz, leur appartement sera la proie des flammes, et que je prouverai que je suis digne de l'amour de Michael en sauvant sa mère de l'incendie, par exemple, ou son chien. À part ça, je ne vois pas comment on peut se remettre ensemble. Je lui offrirai son cadeau d'anniversaire, évidemment, ne serait-ce que parce que je me suis donné un mal de chien pour le voler.

Mais je sais bien que ça ne changera rien.

Qu'est-ce qui cloche chez moi??? J'espère que c'est à cause du syndrome prémenstruel. Parce que si c'est à ça que ressemble l'amour, je préfère ne pas être amoureuse!!!!!!!!!!!!!!!!!!!!!!!!

Vendredi 23 janvier, toujours en perm

On vient de révéler le nom de la nouvelle recrue de l'équipe des supporters du lycée Albert-Einstein, et c'est Shameeka Taylor.

Super. Tout simplement super. À partir d'aujourd'hui, je suis officiellement la seule personne à ma connaissance à n'avoir aucun talent.

Michael n'est pas passé me voir. C'est la première fois de toute la semaine qu'il ne s'arrête pas pour me faire un petit coucou entre deux cours.

J'essaie de ne pas le prendre mal, mais je ne peux pas m'empêcher d'entendre une petite voix en moi qui dit : *«Et voilà! C'est fait! Il t'a larguée!»*

Je suis sûre que Kate Bosworth n'entend pas de petite voix. Pourquoi est-ce que je ne suis pas Kate Bosworth?

Pour comble de malheur – comme si j'avais le temps de me soucier de choses aussi insignifiantes –, Lana vient de se pencher vers moi et a lâché : «Ta petite copine est entrée dans l'équipe des *pom-pom girls,* mais ne crois pas que ça va changer quoi que ce soit entre nous, Mia. Elle me fait autant pitié que toi. On l'a prise seulement parce qu'il manquait quelqu'un.»

Elle a tourné la tête, mais pas suffisamment vite. Ses cheveux traînaient encore sur ma table quand j'ai refermé brusquement mon livre de maths. Résultat, j'ai coincé plusieurs de ses mèches blondes parfumées au gingembre hawaiien entre les pages 210 et 211.

Lana a hurlé. Mr. G., qui était en train d'écrire au tableau, s'est retourné et quand il a vu d'où venait le hurlement, il a poussé un soupir.

«Mia, Lana, a-t-il dit d'une voix lasse, que se passe-t-il?»

Lana a pointé un doigt accusateur dans ma direction.

« Elle m'a coincé les cheveux dans son livre ! » s'est-elle exclamée.

J'ai haussé les épaules d'un air innocent et j'ai répondu :

« Je n'avais pas vu ses cheveux. Pourquoi elle ne les attache pas ? »

Mr. Gianini a paru fatigué.

« Lana, a-t-il déclaré, si tu ne parviens pas à contrôler tes cheveux, je te conseillerais de te faire des nattes. Quant à toi, Mia, ne referme plus ton livre brusquement. D'ailleurs, il devrait être ouvert à la page 211. J'aimerais que tu la lises. À voix haute. »

J'ai donc lu la page 211 de mon livre de maths. Je dois dire que j'étais assez contente de moi. Pour la première fois, j'avais réussi à me venger de Lana sans être convoquée chez la principale ensuite.

Personnellement, je ne vois pas très bien pourquoi je dois apprendre tout ça. Le palais de Genovia n'est pas rempli d'employés débiles qui meurent d'envie de multiplier des fractions avec moi.

Polynômes

Terme : variable(s) multipliée(s) par un coefficient.
Monôme : polynôme avec un terme.
Binôme : polynôme avec deux termes.
Trinôme : polynôme avec trois termes.
Degré de polynôme : le degré du terme qui a le plus haut degré.

Je suis tellement heureuse d'avoir fait souffrir mon ennemie, j'en ai presque oublié que j'avais le cœur brisé, et que Michael va me plaquer ce soir, après le bal. Pourquoi est-ce que je n'arrive pas à me concentrer??? L'amour, sans doute.

J'en ai assez.

Vendredi 23 janvier
Pendant l'heure d'hygiène et sécurité

Qu'est-ce que tu as? On dirait que tu as encore avalé une chaussette?

C'est faux. Comment s'est passé ton petit déjeuner?

Je ne te crois pas. Mon rendez-vous? SUPER.

C'est vrai? Est-ce qu'ils ont accepté de publier des excuses en pleine page dans *Variety*?

Non. Encore mieux. Il s'est passé un truc avec mon frère? Je viens de le croiser dans les couloirs. Il avait son petit air sournois.

SOURNOIS? Sournois comment? Il cherchait Judith Geshner pour lui proposer de sortir ce soir????

Non. Il avait plutôt l'air de chercher une cabine téléphonique. Pourquoi proposerait-il à Judith Geshner de sortir avec lui? Combien de fois dois-je te dire que c'est toi qu'il aime et pas elle?

Que c'est moi qu'il aimait, tu veux dire. Jusqu'à ce que j'annule notre rendez-vous parce que ma grand-mère m'oblige à aller à un bal.

À un bal? C'est vrai. Ouah. Excuse-moi. Mais Michael ne va pas demander à une autre fille de sortir avec lui ce soir parce que tu ne peux pas. Il attendait vraiment cette soirée avec impatience. Et pas seulement pour des raisons concupiscentes, d'ailleurs.

C'EST VRAI???????

Oui. Tu n'es vraiment qu'une pauvre fille. Qu'est-ce que tu t'imagines? Vous sortez ensemble, que je sache.

Justement, c'est ça le problème. On n'est pas encore sortis ensemble.

Et alors? Vous sortirez ensemble quand tu ne seras pas prise par un bal.

À ton avis, il ne va pas me plaquer?

Non, à moins qu'il n'ait reçu quelque chose de très lourd sur la tête entre maintenant et la dernière fois que je l'ai vu. Les garçons qui ont souffert d'un traumatisme crânien ne sont plus responsables de leurs actes.

Pourquoi recevrait-il quelque chose de lourd sur la tête?

C'était une facétie. Tu veux que je te raconte mon rendez-vous ou pas?

Oui. Qu'est-ce qui s'est passé?

Ils m'ont dit qu'ils voulaient prendre une option sur mon émission.

Ça veut dire quoi?

Qu'ils vont présenter Lilly ne mâche pas ses mots *à toutes les chaînes pour voir si quelqu'un est intéressé pour l'acheter. Pour en faire une vraie émission. Qui*

serait diffusée sur une vraie chaîne, comme ABC ou Lifetime ou VH1, et pas sur une chaîne câblée.

MAIS C'EST GÉNIAL, LILLY!!!!!!

Ouais, je trouve aussi. Attention, Wheeton regarde de notre côté.

Chercher dans le dictionnaire : « concupiscent » et « facétie ».

Vendredi 23 janvier, pendant l'étude dirigée

On a fêté plein de choses aujourd'hui, au déjeuner. Tout le monde avait une grande nouvelle à annoncer.

SHAMEEKA : son admission dans l'équipe des *pom-pom girls* en tant que porte-parole des filles mal foutues et nulles en gym (même si Shameeka a tout d'un top model et qu'elle soit capable de faire le poirier et le grand écart en même temps).

LILLY : l'option prise sur son émission de télé.

TINA : sa décision de tirer un trait sur Dave mais pas sur les romans d'amour ni sur la vie.

LING SU : son statut d'artiste reconnue, puisque le portrait qu'elle a fait de Joe, le lion en pierre devant le bahut, sera exposé à la fête de fin d'année.

BORIS : d'être Boris tout simplement. Boris est tout le temps heureux.

Vous remarquerez que je n'ai pas mentionné Michael. Tout simplement parce que je ne sais pas dans quel état mental il était à l'heure du déjeuner – s'il était heureux ou pas, concupiscent ou non –, vu qu'il n'a pas déjeuné avec nous. Quand je l'ai croisé devant les casiers, juste avant d'aller en cours, il m'a dit d'un air pressé : « J'ai quelque chose à faire. On se voit à l'étude dirigée, OK ? »

Quelque chose à faire.

Évidemment, j'aurais dû lui demander quoi. J'aurais dû lui dire : « Écoute, est-ce que tu as l'intention de rompre à cause de ce que je t'ai dit pour vendredi ? Parce que j'aimerais bien savoir. »

Sauf que je ne peux pas aller le voir maintenant et lui demander ce qu'il en est : il parle de son groupe avec Boris.

Le groupe de Michael est composé de :

Michael à la basse
Boris au violon électrique
Paul (l'espèce de géant du club informatique) au clavier
Trevor (le garçon qui fait partie de l'Association des étudiants pour l'hygiène et la sécurité) à la guitare
Felix (le terminale qui a un bouc et une tête qui fait un peu peur) à la batterie

Ils n'ont toujours pas de nom, ils ont juste trouvé un endroit où répéter. Mr. Kreblutz est d'accord pour les laisser venir jouer le week-end dans la salle de musique, s'ils lui obtiennent une entrée pour le prochain défilé de chiens de Westminster. Mr. Kreblutz est fan des bichons frisés.

Que Michael parvienne à penser à son groupe tandis que notre relation bat de l'aile prouve que c'est un vrai musicien, totalement dévoué à son art. En revanche, moi qui ne suis qu'une mutante exempte de talents, je ne pense bien sûr à rien d'autre qu'à mon chagrin d'amour. La capacité de Michael à demeurer concentré malgré la souffrance personnelle qu'il pourrait éprouver atteste que c'est un génie.

Ou bien que je n'ai jamais vraiment compté pour lui.

Je préfère croire que c'est un génie.

Ah, si seulement j'avais une passion, comme la musique, dans laquelle déverser ma peine ! Hélas, je ne suis pas artiste. Et je dois rester ici, à souffrir en silence, tandis qu'autour de moi des esprits talentueux expriment leurs plus profondes émotions au travers de chansons, de danses et de films.

Bon, d'accord, seulement au travers de films puisqu'il n'y a ni chanteurs ni danseurs autour de moi. Il y a juste Lilly. Elle est en train de fignoler ce qu'elle appelle l'épisode «quintessentiel» de *Lilly ne mâche pas ses mots,* dans lequel elle explorera les dessous un peu louches de la célèbre institution américaine connue sous le nom de Starbucks. Lilly est persuadée que Starbucks est une branche secrète de la CIA. D'après elle, la carte Starbucks, grâce à laquelle les accros de la caféine peuvent se faire leur fix électroniquement, permettrait de surveiller les mouvements de l'intelligentsia américaine – écrivains, éditeurs et autres agitateurs libéraux – à travers sa consommation de café.

Pourquoi pas ? Personnellement, je n'aime pas le café. Flûte, ça sonne.

Devoirs :

Maths : je m'en fiche
Anglais : ras-le-bol
Bio : je hais ma vie
Hygiène et sécurité : Mr. Wheeton est amoureux, lui aussi. Je devrais peut-être lui conseiller de disparaître maintenant, tant qu'il en est encore capable.
Français : pourquoi cette langue existe-t-elle de toute façon, puisque tout le monde parle anglais ?
Éduc. civique : qu'est-ce qu'on en a à faire ? On finira tous par mourir.

Vendredi 23 janvier, 6 heures de l'après-midi
Dans la suite de Grand-Mère, au Plaza

Grand-Mère m'a demandé de venir directement après l'école pour que Paolo ait le temps de s'occuper de nous avant le bal. Je ne savais pas que Paolo coiffait à domicile. Seulement les membres des familles royales, m'a-t-il assuré, et Madonna, bien sûr.

Quand je lui ai expliqué que je voulais me faire pousser les cheveux parce que les garçons préfèrent les filles aux cheveux longs, il a fait de drôles de petits bruits de la bouche. Puis il m'a mis des bigoudis pour éliminer la forme «panneau de la circulation» que mes cheveux ont tendance à adopter naturellement. Je reconnais que ça a marché. Ma coiffure n'est pas mal. En fait, je ne suis pas mal. Extérieurement parlant, il va sans dire.

Parce que, à l'intérieur, je suis complètement anéantie.

J'essaie de ne pas le montrer. Je tiens à ce que Grand-Mère pense que je suis contente. Je ne fais ça que pour elle. Parce que c'est une vieille dame, que c'est ma grand-mère, qu'elle s'est battue contre les nazis et qu'il faut bien que quelqu'un la soutienne.

J'espère quand même qu'un jour elle appréciera. Mon sacrifice, je veux dire. Cela dit, ça m'étonnerait. Les femmes de soixante-dix ans et des poussières – en particulier les princesses douairières – ne semblent jamais se rappeler leurs quatorze ans et demi et leurs premières amours.

Je suppose qu'il est l'heure d'y aller. Grand-Mère porte une robe fourreau à paillettes. Elle ressemble à Diana Ross. Sans sourcils. En plus âgée. Et en blanche.

Elle dit que, moi, je ressemble à un perce-neige.

Formidable! C'est exactement ce dont je rêvais. Ressembler à un perce-neige.

Peut-être que c'est ça, mon talent secret. L'étonnante possibilité de ressembler à un perce-neige.

Mes parents doivent être tellement fiers.

Vendredi 23 janvier, 8 heures du soir
Dans la salle de bains de la comtesse Trevanni
sur la 5ᵉ Avenue

Eh oui. Dans la salle de bains. Une fois de plus, là où il semble que j'atterrisse toujours les soirs de bal. Mais pourquoi donc ?

La salle de bains de la comtesse est un petit peu surfaite, si vous voulez mon avis. Elle est jolie et tout, mais je ne sais pas si j'aurais choisi des flambeaux comme appareils d'éclairage pour ma salle de bains. Même au palais, il n'y en a pas. D'accord, c'est très romantique, avec un côté à la Ivanhoé, mais c'est un peu dangereux tout de même. En plus, je me demande si c'est bon pour la santé. Ça doit bien dégager des substances cancérigènes, non ?

Mais bon, là n'est pas la question – que quelqu'un ait des flambeaux ou non dans sa salle de bains. La vraie question est : si je suis censée descendre de toutes ces femmes fortes, comme Rosagunde qui a étranglé un chef militaire avec une de ses nattes, et Agnès, qui s'est jetée d'un pont, sans parler de Grand-Mère, qui a empêché les nazis de saccager Genovia en invitant Hitler et Mussolini à prendre le thé, pourquoi est-ce que je me fais avoir aussi facilement ?

V

Beauté

Une réflexion de son Altesse Royale la Princesse Mia

Une vraie princesse s'efforce toujours de mettre son physique en valeur – mais… euh, mon physique est probablement très différent du vôtre. Il existe quantité de types de beauté. Prenez par exemple ces mannequins qu'on voit en couverture des magazines.

Pour un tas de gens, elles constituent, disons, la quintessence de la perfection et tout ça. N'empêche que, dans certains pays, des aisselles velues constituent le comble du raffinement…

C'est dire à quel point le concept de beauté est relatif! Chaque princesse, comme le commun des mortels, a des formes et une taille spécifiques. Aucun look ne saurait convenir à tout le monde. Un corps sain est mille fois plus précieux qu'une silhouette sublime, apte à se glisser dans un jean moulant taille basse. Et, bien sûr, un cœur d'or est – de loin – ce qui compte le plus. Au cours de l'histoire, nombre de princesses ont marqué leur époque. Qu'a-t-on retenu d'elles? Qu'elles avaient la taille idéale pour s'exhiber en 501? Non! On se souvient des bonnes actions accomplies tant qu'elles étaient sur le trône!

Il existe toutefois un conseil universel : l'assurance. Ayez confiance en vous et en votre physique : les autres verront aussi bien votre beauté extérieure qu'intérieure.

C'est du moins ce qu'on me rabâche sans cesse.

Des cheveux princiers

Vous déboulez chez Paolo en pleurant comme un bébé : «Au secours, mes cheveux sont frisés! Rendez-les lisses! Les princesses ont des cheveux lisses!»

Eh bien, moi, Paolo, je tiens à préciser ceci :

Une princesse a des cheveux frisés ou lisses, bruns ou blonds, courts ou longs. Ses seules obligations consistent à :

— avoir des cheveux propres,

∿ qui ne lui tombent pas dans les yeux,

∿ qui se coiffent en un quart d'heure maxi.

Pourquoi cette dernière règle ? Parce que – à moins que vous ne m'ayez moi, Paolo, sous la main pour vous coiffer chaque matin - une princesse a mieux à faire que de se pomponner. Vous avez les cheveux raides et vous passez une demi-heure à les boucler ? Vous perdez votre temps ! Et plus de temps encore dans le cas inverse…

Autre question : une princesse a-t-elle le droit d'avoir les cheveux verts ? Oui, tant qu'ils sont propres, ne lui tombent pas dans les yeux, se coiffent en un quart d'heure maxi.

Croyez-moi : une princesse ne s'arrache pas les cheveux pour des préoccupations aussi futiles qu'une couleur, des fourches ou un épi rebelle. Elle me laisse le soin d'y remédier. Parce que moi, Paolo, je suis un artiste. Votre chevelure est le matériau à partir duquel je réalise des chefs-d'œuvre.

Les conseils de votre parfumeur préféré
Marionnaud
PARFUMERIES

Panique à bord !

Ça ne rate jamais. Vous oubliez de glisser votre brosse dans votre sac à dos le jour où il fait un vent à décorner tous les taureaux de Camargue. La mine de votre crayon pour les yeux casse net au moment précis où votre petit ami sonne à la porte. Vous avez mal refermé votre tube de gloss : il a fondu complètement sur le boîtier de blush qui refuse maintenant de s'ouvrir…
Eh oui, pour être jolie, il faut avoir l'âme ménagère : gérer et entretenir avec minutie vos outils de beauté.

Zut, mon vernis à ongles a pris la consistance d'une pâte à tartiner ! Il s'étale en paquets monstrueux…

Primo : pensez toujours à revisser à fond le flacon après chaque utilisation.
Secundo : évitez-lui les changements de température brusques et répétitifs. S'il passe l'après-midi en plein cagnard et la nuit au frais, sa fluidité finit par se dégrader. Tertio : en fin d'été, jetez votre vieux fond de vernis qui ne tiendra pas jusqu'aux prochains beaux jours.
Par chance, il existe un truc tout simple quand le produit épais s'étale mal. Versez-y quelques gouttes de dissolvant, secouez bien et le tour est joué !

Je suis nulle ! Quand je taille mes crayons, la mine casse sans cesse…

C'est vrai que c'est délicat, le bois étant dur et la mine onctueuse et grasse. Un taille-crayons d'écolier ne fait pas l'affaire. Achetez-en un spécialement conçu pour cet usage. Comme tous vos outils, nettoyez-le régulièrement à l'eau chaude savonneuse, sinon, il s'encrasse et la mine re-casse, hélas !
Et puis, essayez ce truc : avant de tailler vos crayons, mettez-les au frigo. La mine durcit sous l'effet du froid, devient plus résistante à la taille, et reprend une texture idéale au moment de l'application.

On m'a menti! Hier soir, je me suis tartinée d'autobronzant et je me réveille ce matin blanche comme une endive…

De quand datait cet autobronzant? Un reste de l'an dernier? Eh bien, c'est normal. Sa durée est éphémère. Les colorants virent rapidement et l'effet bronzant s'amenuise jusqu'à disparaître.

Idem pour les crèmes solaires. Pour ne pas gâcher, tartinez-vous un max jusqu'au dernier jour et jetez sans hésiter en bouclant vos bagages.

Les produits de beauté ne portant pas de date limite d'utilisation, c'est à vous de faire preuve de bon sens. Si vous retrouvez un vieux masque hydratant, résistez à l'envie de profiter de l'aubaine, qui pourrait virer au cauchemar. Fiez-vous plutôt à votre flair. Un produit qui sent bizarre ou qui a un drôle d'aspect risque d'avoir perdu ses propriétés salutaires. Mieux vaut investir dans du neuf ou – si vous êtes fauchée – opter pour le look nature qui vous va si bien.

Le mascara a un statut particulier. Accordez-lui une durée de vie de trois mois maxi. Chaque fois que vous l'appliquez, la brosse capte un peu de poussière qui s'agglutine dans le tube où les bactéries prolifèrent à plaisir. Vos yeux sont trop précieux pour leur imposer une conjonctivite carabinée.

La bonne idée : établir une liste à placer dans la salle de bains et à tenir à jour. Tel truc, acheté le tant. Vous barrez quand le truc est épuisé ; vous jetez quand il a franchi la barre des 12 mois.

Enfin, on se lave les mains avant de piocher dans un pot de crème, on le referme hermétiquement après usage, on l'entrepose à l'abri de la lumière. Oui, le bon sens rend belle !

Je ne plaisante pas. Quand Grand-Mère m'a confié qu'elle aurait tellement aimé frimer auprès d'Elena Trevanni en lui montrant que sa petite-fille était jolie et tellement parfaite – surtout en perce-neige –, j'ai compris ce qu'elle ressentait. J'ai eu pitié d'elle. Sa souffrance m'est allée droit au cœur jusqu'à ce que je découvre la vérité : Grand-Mère est totalement dépourvue de sentiments. Toutes ses simagrées, c'était juste une ruse pour me faire passer ce soir pour LA PETITE AMIE DU PRINCE RENÉ!!!!!!!!!!!!!

Je dois dire pour sa défense que René ne semblait pas au courant de la manigance. Il a eu l'air aussi surpris que moi quand Grand-Mère nous a présentés à sa soi-disant rivale qui, grâce aux miracles de la chirurgie plastique, fait trente ans de moins que Grand-Mère.

Personnellement, je trouve que la comtesse y est allée un peu fort – c'est difficile de savoir quand s'arrêter. Regardez ce pauvre Michael Jackson. Parce que c'est vrai qu'elle ressemble à un tamanoir. On dirait qu'elle a les yeux sur le côté du visage tellement sa peau est tirée, et elle a un nez très long, comme un museau.

Bref, quand Grand-Mère m'a présentée – «Comtesse, permettez-moi de vous présenter ma petite-fille, la princesse Amelia Mignonette Renaldo» (Grand-Mère ne dit jamais Thermopolis), j'ai pensé que la soirée allait bien se dérouler. Enfin, pas toute la soirée, puisque juste après le bal, j'allais chez ma meilleure amie où je risquais d'être larguée par son frère. Mais en ce qui concernait le bal, ça allait.

Et puis, Grand-Mère a ajouté : «Et bien sûr, vous connaissez le galant d'Amelia, le prince Pierre René Alberto. »

Le galant? LE GALANT???? On s'est regardés, René et moi, et c'est seulement à ce moment-là que j'ai remarqué, juste à côté de la comtesse, une fille qui devait être sa petite-fille (celle qui s'est fait renvoyer du pensionnat). Elle portait une robe noire super-moulante, exactement comme celle que j'aurais adoré mettre pour le bal du lycée, mais elle ne semblait pas très à l'aise dedans. En fait, elle avait l'air même assez triste.

La comtesse a penché son nez d'au moins un mètre de long vers moi tandis que je me transformais sur place en pivoine tellement j'étais rouge. Fini le perce-neige!

«Ainsi, ce vaurien de René s'est fait mettre le grappin dessus, et par *votre* petite-fille. Comme vous devez être contente, Clarisse», a dit la comtesse en fusillant du regard sa petite-fille.

Il ne m'en a pas fallu plus pour comprendre ce qui se jouait.

« N'est-ce pas, Elena », a susurré Grand-Mère avant de se tourner vers René et moi et de dire : « Allons-y, les enfants. »

Elle s'est dirigée vers le buffet, René lui a emboîté le pas, un sourire amusé aux lèvres, et j'ai suivi. J'avais du mal à me contenir, tellement j'étais folle de rage.

« Comment as-tu pu faire une chose pareille ? ai-je crié, dès qu'on a été hors de portée de voix de la comtesse.

— Faire quoi, Amelia ? a demandé Grand-Mère tout en saluant d'un mouvement de la tête un Africain en tenue traditionnelle.

— Dire à cette femme que René et moi, on sortait ensemble, quand ce n'est absolument pas la vérité. En plus, tu l'as fait exprès pour enfoncer cette pauvre Bella.

— René, a dit Grand-Mère doucement – elle peut être douce quand elle veut –, vous seriez un ange si vous alliez nous chercher un peu de champagne. »

René, qui avait toujours son petit sourire cynique – j'imagine que Mr. Rochester avait le même avant de devenir aveugle et de perdre sa main –, a hoché la tête et s'est éloigné.

« Franchement, Amelia, a déclaré Grand-Mère, une fois qu'il est parti, es-tu obligée d'être aussi cruelle avec ce pauvre René ? J'essaie seulement de faire que ton cousin se sente à l'aise ici.

— Il y a une différence entre le mettre à l'aise et le faire passer pour mon petit ami!

— Qu'est-ce que tu lui reproches, de toute façon?» a voulu savoir Grand-Mère.

Autour de nous, des couples élégants en smoking et robes du soir s'approchaient de la piste de danse où un orchestre jouait l'air que chante Audrey Hepburn dans le film sur Tiffany's.

«Il est extrêmement charmant, a repris Grand-Mère, et mène une existence assez cosmopolite. Sans compter qu'il est divinement beau. Comment peux-tu préférer un lycéen à un *prince*?

— Parce que je l'aime, Grand-Mère, ai-je répondu.

— Tu l'aimes! a fait Grand-Mère en levant les yeux au ciel. Pfuit!

— Oui, Grand-Mère, je l'aime! ai-je répété. Comme tu as aimé Grand-Père. Et n'essaie pas de le nier, parce que je sais que c'est vrai. Maintenant, tu vas arrêter de comploter pour que René devienne ton petit-fils par alliance, parce qu'il ne le sera jamais!»

Grand-Mère a pris l'air étonné.

«Je ne vois pas du tout de quoi tu veux parler, a-t-elle dit.

— Je t'en prie, Grand-Mère, s'il te plaît. Tu rêves de me voir sortir avec le prince René pour la seule et unique raison qu'il est de sang royal. Et pour jouer un sale tour à la comtesse, peut-être aussi. Eh bien, sache que cela n'arrivera pas. Même si Michael et moi, on cassait – ce qui risquait de se produire plus vite qu'elle ne le pensait –, je ne sortirais pas avec René!»

Grand-Mère a semblé enfin me croire.

«Très bien, a-t-elle déclaré, sans beaucoup de grâce. Je ne dirai plus que René est ton galant. Mais tu dois danser avec lui. Au moins une fois.»

C'était bien la dernière chose dont j'avais envie.

«Grand-Mère, s'il te plaît, pas ce soir, ai-je commencé. Tu ne sais pas…

— Amelia! m'a-t-elle coupée, sur un ton qu'elle n'avait pas encore employé jusqu'à présent. Une danse. C'est tout ce que je te demande. Je pense que tu me le dois bien.

— Je te le *dois*? me suis-je écriée en me retenant de ne pas éclater de rire. Qu'est-ce que tu racontes?

— Je faisais allusion à une toute petite chose qui a récemment disparu du musée du palais», a-t-elle répondu d'une voix innocente.

Toute ma combativité rénaldienne s'est aussitôt envolée et j'ai eu l'impression de recevoir un coup de poing dans le ventre. Est-ce que Grand-Mère avait bien dit ce que je *pensais qu'elle avait dit*?

«Qu… Quoi? ai-je bégayé.

— Oui, a-t-elle répondu en m'adressant un regard plein de sous-entendus. Un objet très précieux, qui fait partie d'une collection dont chaque élément est quasiment identique, et qui m'a été donné par mon cher ami, l'ancien président des États-Unis, Richard Nixon. Je pense que la personne qui l'a pris a estimé qu'on ne s'apercevrait pas de sa disparition, puisque ce n'est pas une pièce unique. Mais il avait une immense valeur sentimentale pour moi. Dick, je veux dire le président Nixon, aimait beaucoup Genovia quand il était en poste, avant d'avoir tous ces problèmes. Tu ne saurais pas par hasard qui l'a pris, Amelia?»

Elle me tenait! Elle me tenait et elle le savait. Comment? impossible de le dire, mais de toute évidence, elle savait que c'était moi.

Bref, j'étais fichue.

Je ne pouvais pas lui demander si, en tant que membre de la famille royale, j'étais au-dessus de la loi à Genovia. Ce serait une forme d'aveu. Et je savais que ce n'était pas non plus dans mon intérêt de mentir. À cause de mes narines.

Pourtant, je me rends compte maintenant que j'aurais quand même dû faire celle qui n'était pas au courant. La regarder d'un air candide et dire : «Un objet très précieux? Je ne vois pas du tout de quoi tu veux parler.»

Mais j'ai répondu, d'une voix tellement aiguë que je l'ai à peine reconnue :

«Tu sais quoi, Grand-Mère? Je serais ravie de danser avec René!»

Grand-Mère a eu l'air extrêmement satisfaite.

«J'étais sûre que ça te ferait plaisir», a-t-elle déclaré. Puis, en haussant ses sourcils tatoués, elle a ajouté : «Oh, regarde, le prince René qui revient avec du champagne. C'est adorable de sa part, n'est-ce pas?»

Et voilà comment je me suis retrouvée à danser avec le prince René. Bon d'accord, il danse très bien, mais ce n'est pas Michael. Il n'a jamais vu *Buffy contre les vampires* et il pense que Bill Gates est un type sensationnel.

Alors qu'on dansait, René a dit :

«Tu as vu Bella Trevanni? On dirait une plante qu'on aurait oublié d'arroser.»

J'ai cherché des yeux la petite-fille de la comtesse et, une fois que je l'ai eu repérée (elle dansait avec un vieux qui devait être un ami de sa grand-mère), j'ai compris ce que voulait dire René. Bella avait tellement l'air de souffrir que je me suis demandé si son cavalier n'était pas en train de lui parler de portefeuille d'investissement. Mais en même temps, peut-être qu'elle souffrait tout le temps? Ce qui ne serait pas étonnant avec une grand-mère comme la comtesse Trevanni.

Je me suis penchée vers René et j'ai soufflé à son oreille :

«Invite-la à danser après.»

Ça a été au tour de René d'avoir l'air de souffrir.

« Je suis obligé ? a-t-il demandé.

— Allez, René. Ce n'est pas bien de juger les gens d'après leur apparence, ai-je déclaré sur un ton légèrement sévère. Si tu l'invites à danser, tu lui feras plaisir. Tu n'imagines pas, danser avec un prince charmant…

— Pas si charmant que ça pour toi, a fait remarquer René, son petit sourire cynique de nouveau aux lèvres.

— René…, ai-je soupiré. Je ne voudrais pas te blesser, mais j'ai déjà rencontré mon prince. Cela dit, si je ne me sauve pas d'ici rapidement, je ne sais pas pendant combien de temps encore il le restera. J'ai déjà raté le film qu'on était censés voir ensemble ce soir, et si je tarde trop, je ne pourrai même pas passer chez…

— Ne vous inquiétez pas, Votre Majesté, m'a coupée René. Si vous éclipser du bal avant les douze coups de minuit est votre souhait, je ferai en sorte qu'il se réalise. »

J'ai regardé René avec curiosité. En fait, je devais partir avant vingt et une heures et non minuit, si je ne voulais pas arriver trop tard chez les Moscovitz. Mais je n'ai pas osé le lui dire, parce que je ne savais pas s'il parlait sérieusement.

« D'accord », ai-je répondu, à tout hasard.

Et c'est comme ça que j'ai atterri dans la salle de bains de la comtesse. René m'a dit de m'y cacher le temps d'expliquer la situation à Lars et d'appeler un taxi. Dès que la voiture sera là et la voie libre, il tapera trois fois à la porte pour me signaler que Grand-Mère est trop occupée pour remarquer mon départ. Il m'a promis de lui raconter que je ne me sentais pas bien, sans doute à cause d'une truffe avariée que j'aurais mangée, et que Lars m'a raccompagnée.

Tout cela n'a pas d'importance, évidemment. Ce qui compte, c'est que je vais arriver à l'heure chez Michael pour qu'il m'annonce que c'est fini entre nous. Peut-être qu'il aura un peu honte après avoir reçu son cadeau d'anniversaire ? À moins qu'il ne soit tout simplement ravi d'être débarrassé de moi. Qui sait ? J'ai renoncé à comprendre les hommes. C'est une espèce à part.

Oups. René vient de frapper. Il faut que j'y aille.

Je vais enfin être fixée sur mon sort.

Vendredi 23 janvier, 11 heures du soir
Dans la salle de bains des Moscovitz

Maintenant, je sais ce qu'a éprouvé Jane Eyre quand elle est retournée à Thornfield Hall et a découvert que ce n'était plus qu'une ruine et que tous ses habitants avaient été la proie des flammes. À ce moment-là seulement, elle apprend que Mr. Rochester n'est pas mort, mais a perdu la vue, une main et sa femme, et elle est super heureuse, car malgré tout ce qu'il lui a fait subir, elle l'aime.

Et c'est comme ça que je me sens, en ce moment. Super heureuse. Parce que ça m'étonnerait que Michael décide de rompre!!!

Non que je l'aie jamais pensé… Enfin, pas VRAI-MENT. Parce que Michael n'est PAS comme ça. Mais c'est vrai que j'ai eu très peur qu'il le soit un petit peu, quand j'ai appuyé sur la sonnette de l'appartement des Moscovitz. En attendant que la porte s'ouvre, je me disais : « Pourquoi est-ce que je fais ça ? Je sais que je vais souffrir, je ferais mieux de demander à Lars d'appeler un autre taxi et de me raccompagner. »

Je n'avais même pas pris la peine de me changer. À quoi bon, de toute façon ? J'allais être de retour à la maison dans peu de temps. Je pourrais me changer là-bas.

Bref, j'attendais dans le hall tandis que Lars me racontait pour la énième fois sa chasse aux sangliers, et tout à coup, j'ai entendu Pavlov, le chien de Michael. OK, me suis-je dit dans la tête, je ne pleurerai PAS, je penserai à Rosagunde et à Agnès, je serai forte comme elles…

Michael a ouvert la porte. À mon avis, il a été un peu décontenancé par ma tenue. Peut-être qu'il ne s'attendait pas à rompre avec un perce-neige ? Mais je ne pouvais pas y faire grand-chose, même si je me suis souvenue à la dernière minute que je portais toujours mon diadème. J'imagine que les diadèmes intimident certains garçons.

Aussi, je l'ai retiré et j'ai dit : « Voilà, je suis là. »

On ne pouvait imaginer phrase plus stupide ! Ça se voyait bien que j'étais là, non ?

Mais Michael s'est rapidement remis de sa surprise et a répondu : « Salut. Entre. Tu es… tu es magnifique », a-t-il ajouté, ce qui est exactement le genre de commentaire que dirait un garçon qui s'apprête à rompre avec une fille. Histoire de bien pouvoir la casser après.

Mais bon, je suis entrée, Lars a suivi, et Michael lui a proposé de rejoindre ses parents au salon où ils regardaient *Dateline*.

Lars ne se l'est pas fait dire deux fois. Je suis sûre qu'il n'avait pas envie d'assister à la grande scène de la Rupture.

Résultat, je me suis retrouvée seule avec Michael. J'ai tripoté nerveusement mon diadème en me demandant bien ce que j'allais pouvoir dire. Pendant tout le trajet en taxi, j'avais vainement cherché.

Heureusement, Michael a parlé le premier.

« Tu as mangé ? a-t-il demandé. Parce qu'il y a des hamburgers végétariens… »

J'ai levé les yeux. Depuis quelques minutes, j'examinais très soigneusement le plancher, latte par latte. C'était moins dangereux que de regarder les yeux de Michael. Ils sont si noirs que j'ai parfois l'impression de m'y enfoncer, comme dans une tourbière, au point de ne plus savoir où je suis. Dans les anciennes sociétés celtiques, on punissait les criminels en les faisant marcher sur des tourbières. S'ils s'y enlisaient, ils étaient coupables, sinon, ils étaient innocents. Sauf qu'on s'enlise toujours. Il y a quelque temps, on a déterré plusieurs corps d'une tourbière en Irlande. Il paraît que les cadavres étaient super bien conservés et qu'ils avaient encore leurs dents et leurs cheveux. Ça me dégoûte.

Eh bien, c'est exactement ce que j'éprouve quand je regarde les yeux de Michael. Pas du dégoût, mais l'impression d'être prise au piège. Mais ça ne me gêne pas, parce que c'est un piège chaud et agréable…

Il me demandait si je voulais un hamburger végétarien ! Est-ce que les garçons proposent à leurs petites amies un hamburger végétarien avant de rompre ? Je ne suis pas très experte en la matière, mais ça m'étonnerait quand même.

Quoi qu'il en soit, j'ai répondu : «Je ne sais pas», au cas où ce serait une question piège. «S'il y en a, pourquoi pas? ai-je ajouté.

— Oui, bien sûr», a répondu Michael en me faisant signe de le suivre.

On est donc allés dans la cuisine où Lilly avait déposé sur le plan de travail le story-board du prochain épisode de *Lilly ne mâche pas ses mots*.

«Ouah! s'est-elle exclamée en me voyant. Qu'est-ce qui t'est arrivé? Tu t'es déguisée pour le carnaval?

— J'étais à un bal, lui ai-je rappelé.

— Ah, oui, c'est vrai, a-t-elle dit. Comme je ne suis pas censée être là, ne vous gênez pas pour moi.

— Ça n'était pas notre intention», a répondu Michael.

Il a alors fait quelque chose auquel je ne m'attendais pas du tout. Il s'est mis à cuisiner.

Je ne plaisante pas. Il a fait la cuisine.

Bon d'accord, il n'a pas vraiment cuisiné. Il s'est juste contenté de réchauffer. Mais pas n'importe quoi : deux préparations à base de légumes de chez Balducci, qu'il a déposées sur des petits pains ronds. Puis il a pris des frites dans le four et les a réparties sur deux assiettes, à côté des hamburgers. Il a ensuite sorti du frigo le ketchup, la mayo et la moutarde, plus deux canettes de Coca. Une fois le tout sur un plateau, il est sorti de la cuisine et, avant que j'aie le temps de demander à Lilly ce qu'il fabriquait, il est revenu, a ramassé les deux assiettes et m'a dit : « On y va ? »

Qu'est-ce que je pouvais faire d'autre que le suivre ?

Je l'ai donc suivi dans la salle télé, où Lilly et moi, on a découvert tellement de petits bijoux du septième art, comme *Valley Girl, Bring It On, Attack of the Fifty Foot Woman* et *Crossing Delancey*.

Devant le canapé en cuir noir des Moscovitz, qui lui-même se trouvait devant leur poste de télé Sony grand écran, il y avait deux petites tables pliantes. Et sur ces deux petites tables, Michael avait déposé les deux assiettes qu'il avait préparées et qui nous attendaient, à la lueur du titre *Star War,* affiché sur l'écran. L'image était sur pause.

« Michael, ai-je dit, complètement déconcertée, qu'est-ce que c'est que ça ?

— Eh bien, comme tu ne pouvais pas aller au Screening Room, le Screening Room est venu à toi, a-t-il répondu, étonné que je n'aie pas encore compris. Allez, mangeons. Je suis affamé. »

Il était peut-être affamé, mais moi, j'étais abasourdie. Je suis restée debout à regarder les hamburgers qui sentaient divinement bon, et j'ai dit :

« Une minute, une minute. Tu n'as pas décidé de rompre ? »

Michael était déjà assis sur le canapé et avait commencé à manger ses frites. Quand il m'a entendue parler de rupture, il s'est retourné et m'a regardée comme si je délirais.

«Rompre? a-t-il répété. Pourquoi je voudrais rompre?

— Eh bien, ai-je fait en me demandant si, finalement, je ne délirais pas, quand je t'ai dit que j'avais un empêchement, ce soir, tu... tu m'as paru un peu distant.

— Je n'étais pas distant, s'est-il défendu. J'essayais de trouver quoi faire à la place.

— Tu n'es pas venu déjeuner non plus, lui ai-je rappelé.

— C'est vrai, a-t-il convenu. Parce que je devais commander les hamburgers végétariens et convaincre Maya d'aller chez Balducci les chercher et acheter ce qui manquait. Et puis, comme mon père avait prêté notre DVD de *La Guerre des étoiles* à un ami, il a fallu que je l'appelle pour qu'il nous le rapporte.»

Je n'en revenais pas. Tout le monde, semble-t-il – Maya, l'employée de maison des Moscovitz, Lilly et même les parents de Michael et de Lilly – avaient aidé Michael à recréer le Screening Room.

J'étais la seule à ne pas être au courant. Tout comme il n'était pas au courant que, dans mon esprit, il voulait rompre.

«Oh, ai-je fait, en commençant à me sentir un peu bête, donc tu... tu ne veux pas casser?

— Bien sûr que non ! » s'est-il exclamé.

Je dois dire qu'il avait l'air légèrement en colère, à ce moment-là – probablement comme Mr. Rochester quand il apprend que Jane traîne avec Saint-John.

« Mia, a-t-il repris, je t'aime, tu l'as oublié ? Pourquoi est-ce que je voudrais casser ? Allez, viens t'asseoir maintenant et mange, ça va être froid. »

Ce n'est plus un peu bête que je ne me sentais alors, mais *très* bête.

En même temps, très heureuse aussi. Parce que Michael avait employé le mot avec un grand A ! Il l'avait prononcé devant moi ! Et sur un ton très directif, comme le capitaine Von Trapp ou la Bête ou encore Patrick Swayze !

Il a alors appuyé sur le bouton Play de la télécommande et les premières notes du thème de *La Guerre des étoiles* de John Williams ont empli la pièce.

« Viens, Mia, a répété Michael. À moins que tu ne préfères te changer d'abord. Tu as apporté des vêtements normaux ? »

Il me restait juste une chose à vérifier.

« Michael, j'ai encore une question à te poser, ai-je dit en essayant de paraître légèrement désabusée, un peu comme René, pour qu'il ne devine pas que mon cœur battait à cent cinquante pulsations par minute. Est-ce que tu m'aimes bien ou es-tu amoureux de moi ? »

Michael me regardait par-dessus le dossier du canapé. Il avait l'air de ne pas en croire ses oreilles. Moi-même, j'avais du mal à en croire les miennes. Est-ce que je lui avais vraiment posé la question? Comme ça, de but en blanc?

Apparemment, à en juger par son expression d'incrédulité, je l'avais bien posée. Ce qui explique sans doute pourquoi je sentais que mon visage devenait de plus en plus rouge.

Jamais Jane Eyre n'aurait osé poser une telle question.

Mais une fois de plus, elle aurait peut-être dû. Parce que, vu la façon dont Michael y a répondu, ça en valait franchement la peine: il s'est levé, s'est approché de moi, il m'a pris mon diadème des mains et l'a posé sur le canapé, puis il m'a attirée contre lui et m'a embrassée très longtemps.

Sur la bouche.

Avec la langue.

Du coup, on a loupé tout le générique qui passe au début du film. C'est le bruit du vaisseau de la princesse Leia, quand il se fait tirer dessus, qui nous a sortis de notre étreinte passionnée.

«Bien sûr que je suis amoureux de toi, Mia, a dit Michael. Maintenant, viens t'asseoir et mange.»

Vous savez quoi? C'est le plus beau moment de ma vie. Même si j'arrive à l'âge canonique de Grand-Mère, jamais je ne pourrai être plus heureuse que je ne l'ai été à cet instant précis. L'espace d'une minute, je me suis même demandé si je n'allais pas m'évanouir tellement j'étais transportée. Je ne plaisante pas. J'étais véritablement transportée de bonheur. Michael m'aimait. Mieux, il était amoureux de moi.

Michael Moscovitz est amoureux de moi, Mia Thermopolis !!!!!!!!!

« Ton hamburger est froid », a-t-il ajouté, juste après.

Vous avez vu ça ? Vous avez vu comme on est faits l'un pour l'autre ? Michael a l'esprit si pratique tandis que je suis dans les nuages. N'a-t-il jamais existé couple plus parfait que le nôtre ? N'y a-t-il jamais eu rendez-vous amoureux plus romantique ?

On s'est assis et on a mangé nos hamburgers en regardant *La Guerre des étoiles*. Lorsque Ben Kenobi a dit : « Obi Wan ? Voilà un nom que je n'ai pas entendu depuis longtemps », on a crié tous les deux : « Depuis quand ? », et Ben Kenobi a répondu, comme il le fait chaque fois : « Très longtemps. »

Puis, juste avant que Luke ne s'envole pour attaquer l'Étoile noire, Michael a mis sur pause pour aller chercher les desserts, et je l'ai aidé à débarrasser.

Tandis qu'il préparait des sundaes, je suis retournée en catimini dans la salle télé, j'ai posé son cadeau d'anniversaire sur sa table et j'ai attendu qu'il revienne et qu'il le découvre. Ce qu'il n'a pas tardé à faire.

« Qu'est-ce que c'est ? a-t-il demandé en me tendant mon sundae – de la glace à la vanille nappée de caramel et de crème fouettée, et parsemée de pistaches.

— Ton cadeau d'anniversaire », ai-je répondu.

J'avoue que j'avais du mal à me contenir. J'avais tellement hâte de voir sa réaction. C'était cent fois mieux qu'une boîte de bonbons ou un pull. C'était, tout simplement, le meilleur cadeau qu'on puisse faire à Michael.

Et puis, j'avais bien le droit d'être excitée. Je l'avais payé suffisamment cher, ce cadeau… des semaines d'angoisse à l'idée d'être découverte puis, après avoir été découverte, l'obligation de danser avec le prince René qui, s'il danse bien et est finalement assez sympathique, empeste le tabac.

Bref, j'étais sur des charbons ardents quand Michael, l'air intrigué, s'est assis et a attrapé le paquet.

« Je t'avais dit que ce n'était pas la peine de me faire un cadeau, a-t-il rappelé.

— Je sais, ai-je répondu en faisant des bonds sur place. Mais j'avais envie de t'en faire un. Et quand j'ai vu ça, j'ai pensé que c'était parfait pour toi.

— Eh bien… merci », a murmuré Michael.

Il a dénoué le ruban, puis a soulevé le couvercle…

Et là, il l'a vue, posée sur une boule de coton blanc. Une petite pierre, pas plus grosse qu'une fourmi. Peut-être même encore plus petite qu'une fourmi.

«Hum, hum, a fait Michael. C'est… très joli.»

J'ai éclaté de rire.

«Tu ne sais pas ce que c'est! me suis-je exclamée.

— Euh… non, a avoué Michael.

— Tu ne veux pas essayer de deviner?

— Eh bien… ça ressemble à un… un morceau de roche, a-t-il répondu.

— C'est un morceau de roche, ai-je confirmé. Devine d'où il vient?»

Michael l'a approché de son œil.

«Je ne sais pas, a-t-il dit. De Genovia?

— Mais non, imbécile! ai-je gloussé. Il vient de la Lune! C'est un morceau de roche lunaire! Que Neil Armstrong a ramassé quand il était là-haut. Il en a ramassé plusieurs et certains se sont cassés. Richard Nixon en a donné quelques fragments à ma grand-mère quand il était président. Enfin, c'est plutôt à Genovia qu'il les a offerts. Et quand je les ai vus, j'ai pensé que… ce serait bien si tu en avais un. Parce que tu aimes bien tout ce qui concerne l'espace. Je m'en étais déjà rendu compte en voyant les étoiles phosphorescentes que tu avais collées sur le plafond de ta chambre, au-dessus de ton lit.»

Michael a levé les yeux du morceau de roche qu'il fixait depuis un petit moment comme s'il n'arrivait pas à croire ce qu'il voyait, et a dit :

«Quand est-ce que tu es allée dans ma chambre ?

— Oh, ai-je répondu en rougissant. Il y a longtemps…» – bien longtemps, ai-je pensé. Longtemps avant de savoir qu'il m'aimait, quand je lui envoyais des poèmes anonymes – «un jour où Maya y faisait le ménage.

— Oh, a fait Michael avant de se replonger dans la contemplation de la pierre. Mia, a-t-il repris, je ne peux pas accepter.

— Bien sûr que si, ai-je répondu. Il en reste plein au musée du palais, ne t'inquiète pas. Richard Nixon devait avoir un faible pour ma grand-mère parce qu'il lui en a vraiment offert beaucoup.

— Mia, c'est un morceau de roche *lunaire,* a déclaré Michael.

— C'est exact», ai-je fait, pas totalement certaine de bien comprendre ce qu'il voulait dire. Est-ce qu'il n'aimait pas mon cadeau ? Je vous accorde que c'est un peu bizarre d'offrir un morceau de roche à son petit ami pour son anniversaire, mais ce n'était pas n'importe quel morceau de roche. Et Michael n'est pas n'importe quel garçon. Je pensais sincèrement qu'il aurait apprécié.

«C'est un morceau de roche, a répété Michael, qui vient de trois cent quatre-vingt-cinq mille kilomètres de la Terre. Trois cent quatre-vingt-cinq mille kilomètres de la Terre.

— Oui», ai-je répondu, de plus en plus perplexe.

Dire que j'avais passé toute la semaine à penser qu'il allait me plaquer à cause d'un rendez-vous annulé, et que j'étais en train de découvrir qu'il s'apprêtait bel et bien à me plaquer, mais à cause de tout autre chose. Franchement, il n'y a pas de justice en ce monde.

«Michael, si tu ne l'aimes pas, je peux le rapporter. Je pensais juste que...

— Il n'en est pas question, m'a-t-il coupée en serrant la boîte contre lui. Je te défends de le rapporter. Le problème, c'est que, maintenant, je ne sais pas ce que je vais bien pouvoir t'offrir pour ton anniversaire. Ça va être difficile de faire aussi fort.»

Est-ce que c'était tout? J'ai senti que je rougissais à nouveau.

«Oh, c'est facile, ai-je murmuré. Tu n'auras qu'à m'écrire une autre chanson.»

J'avoue que c'était assez présomptueux de ma part. Jamais Michael n'avait avoué que *Un grand verre d'eau*, la première chanson qu'il m'avait chantée, parlait de moi. Mais rien qu'à la façon dont il m'a souri, j'ai deviné que je ne m'étais pas trompée. Je ne m'étais pas trompée *du tout*.

On a mangé nos sundaes en regardant la fin du film, et quand le générique est apparu sur l'écran, je me suis souvenue que je voulais lui offrir autre chose. J'y avais songé dans le taxi, en partant de chez la comtesse, quand je réfléchissais à ce que j'allais lui dire s'il m'annonçait que c'était fini entre nous.

«Oh, ai-je dit, j'ai pensé à un nom pour ton groupe.

— Pas les X-Wing, s'il te plaît, a supplié Michael.

— Non, ai-je répondu. Mais La Cage.»

C'est le nom de la boîte qu'utilisent les psychologues avec les rats et les pigeons pour prouver l'existence du réflexe conditionné. Pavlov, le type qui a donné son nom au chien de Michael, avait fait la même expérience mais avec des chiens et des clochettes.

«La Cage, a répété Michael d'un air songeur.

— Oui, ai-je fait. Pourquoi pas? Dans la mesure où tu as appelé ton chien Pavlov...

— Ça me plaît bien, a-t-il déclaré. Je vais voir ce que les autres en pensent.»

Autant dire que j'étais aux anges. La soirée se déroulait tellement mieux que ce que j'avais imaginé que je ne pouvais être qu'*aux anges*.

En fait, c'est à cause de ça que je me suis enfermée dans les toilettes. Pour me calmer un petit peu. Je suis tellement heureuse que j'ai du mal à écrire. Je...

J'ai dû m'interrompre hier parce que Lilly tambourinait à la porte de la salle de bains. Elle voulait savoir si j'étais devenue brusquement anorexique. Quand j'ai ouvert (la porte) et qu'elle m'a vue avec mon journal et mon stylo à la main, elle a lâché, sur un ton revêche (Lilly est beaucoup plus du matin que du soir) : « Si je comprends bien, ça fait une demi-heure que tu t'es enfermée *pour écrire ton journal*? »

J'admets que ça peut paraître étrange, mais je n'ai pas pu m'en empêcher. J'étais tellement heureuse QU'IL FALLAIT que je l'écrive, pour ne jamais oublier ce que j'avais ressenti.

« Et tu n'as toujours pas trouvé quel était ton talent secret? » a continué Lilly.

J'ai secoué la tête de gauche à droite. Lilly a levé les yeux au ciel et est partie en tapant du pied et en bougonnant.

Je ne lui en voulais pas. Comment aurais-je pu lui en vouloir puisque… je suis amoureuse de son frère.

Comme je n'en veux pas, finalement, à Grand-Mère, même si elle a essayé de me refiler son prince sans domicile fixe. Je ne peux pas lui en vouloir d'avoir essayé. Elle a tenté le coup, histoire de marquer un point auprès de sa rivale.

En plus, elle a appelé tout à heure pour demander de mes nouvelles (je suis quand même censée avoir mangé une truffe avariée au bal de la comtesse). Maman lui a répondu que j'allais très bien. Du coup, Grand-Mère a voulu savoir si je pouvais passer prendre le thé avec elle chez la comtesse… qui mourait d'envie de me connaître mieux. Mais j'ai dit que j'avais des devoirs. Mon attitude moralisatrice envers le travail devrait impressionner la comtesse, non ?

Je ne peux pas en vouloir non plus à René, pas après ce qu'il a fait pour moi la nuit dernière. Je me demande comment ça s'est passé entre Bella et lui. Ce serait drôle s'ils s'entendaient bien… Enfin drôle… sauf pour Grand-Mère.

Et je n'en veux pas non plus au pressing de Thompson Street d'avoir perdu mes sous-vêtements de la reine Amidala. Ce matin, Ronnie, notre voisine, nous a rapporté notre sac de linge, dans lequel se trouvaient le jean marron de M. G. et le tee-shirt « Libérez Winona » de maman. Ronnie m'a expliqué qu'elle l'avait ramassé dans le hall de l'immeuble sans le faire exprès, et comme elle était partie à la Barbade juste après avec son patron, elle ne s'était aperçue de son erreur que ce matin.

Cela dit, je m'en fiche un peu d'avoir retrouvé mes sous-vêtements de la reine Amidala. Car de toute évidence, je m'en sors très bien sans. Dire que je pensais en commander d'autres pour mon anniversaire. Je me rends compte maintenant que ce n'est pas nécessaire. Sans le savoir, Michael m'a déjà offert le plus beau cadeau qui soit.

Non, ce n'est pas son amour – même si son amour est probablement la deuxième plus belle chose qu'il puisse m'offrir. C'est quelque chose qu'il a dit après le départ de Lilly.

« Qu'est-ce qui s'est passé ? m'a-t-il demandé.

— Oh, ta sœur est en colère parce que je n'ai toujours pas découvert quel était mon talent secret, ai-je répondu en rangeant mon journal.

— Ton quoi ? a fait Michael.

— Mon talent secret. »

Et alors, parce qu'il avait été si honnête avec moi en me disant qu'il m'aimait, j'ai décidé d'être honnête avec lui.

« C'est juste que Lilly et toi, vous avez tellement de talents, ai-je expliqué. Vous êtes bons dans plein de domaines tandis que moi, je suis nulle partout. Parfois, j'ai l'impression de… de ne pas être à ma place. Du moins, en étude dirigée.

— Mais voyons, Mia, tu es super douée ! s'est exclamé Michael.

— Ah oui ? ai-je répondu en montrant ma robe. Douée pour ressembler à un perce-neige ?

— Non, a répondu Michael. Quoique, maintenant que tu le dis, tu es assez bonne à ça aussi. Non, je voulais dire douée en écriture. »

Je l'ai regardé fixement et j'ai fait : «Hein ?», ce qui n'avait rien des manières d'une princesse, je vous l'accorde.

«Eh bien, ça me paraît évident que tu aimes écrire, a continué Michael. Tu es toujours le nez dans ton journal. Et tu as tout le temps des supernotes en dissertation. Oui, c'est évident pour moi que tu es un écrivain. »

Bien que je n'y aie jamais songé auparavant, je me suis rendu compte que Michael avait raison. C'est vrai que je suis toujours en train d'écrire mon journal. Je compose aussi beaucoup de poèmes, je prends des notes et j'envoie un paquet d'e-mails. Dans un sens, *j'écris* tout le temps. Au point que je n'ai jamais pensé que ça pouvait être un talent. C'est juste quelque chose qui m'est indispensable, comme respirer.

Maintenant que je sais quel est mon talent, vous pouvez être sûr que je vais me mettre à le développer. La première chose que je vais écrire, c'est un projet à soumettre au Parlement de Genovia pour installer des feux rouges. Les carrefours sont hyperdangereux, là-bas.

Je le ferai à mon retour du bowling. On y va tous les quatre, Lilly, Boris, Michael et moi.

Qu'est-ce que vous croyez ? Même une princesse a le droit de s'amuser, parfois.

Tu adores les aventures de Mia, retrouve-la vite
dans le tome I "Journal d'une Princesse",
le tome II "Premiers pas d'une Princesse",
le tome III "Une Princesse amoureuse"
et le tome IV "Une Princesse dans son palais".

À paraître en novembre, le tome V "L'anniversaire d'une Princesse" !

Composition JOUVE – 53100 Mayenne
Mise en page MCP – 45774 Saran

Imprimé en France par HÉRISSEY - 27000 Évreux
Dépôt imprimeur : 103472 - éditeur n° 81647
20.16.0971.01/05 - ISBN : 978-2-0120-0971.4
Loi n° 49-956 du 16 juillet 1949 sur les publications destinées à la jeunesse
Dépôt légal : décembre 2006